A군의 인생 대미지 보고서

A군의
인생 대미지
보고서

강석희 김멜라 김화진
박서련 박영란 서장원 신운선

창비三

차
례

01
스니치

신운선

2016년 제12회 마해송문학상을 수상하며 작품 활동을 시작
했다. 2019년 아르코 문학창작기금 장편 동화 부문을 수상했
다. 지은 책으로 장편 동화 《해피 버스데이 투 미》, 《바람과 함
께 살아지다》, 청소년 소설 《두 번째 달, 블루문》, 그 외에 《엄
마가 고른 한 권의 그림책》, 《고전을 부탁해》 등이 있다.

1

― 나쁜 뜻은 없었어.

정후가 톡을 올렸다. 그 말에 성주는 더 화가 난 듯했다.

― 네가 그러면 괜찮아야 하는 거니? 소은이를 괴롭히라는
게 아니었잖아. 그냥 모른 체하면 될 걸. 돌아가는 상황을 봐.

'안 고독한 삼인방'은 나를 포함해 세 명이 있는 채팅방이
다. 대수롭지 않은 얘기라도 중요한 비밀처럼 공유하는 방,
서로에게 울타리 같은 방이었는데, 지금은 모두 감옥에 갇힌
것 같았다.

나는 뭐라고 의견을 올려야 할까 고민이 됐다. 정후가 잘

한 건지 잘못한 건지 판단이 서지 않았다. 무조건 정후 편을 들다 나까지 욕먹을 수 있었다. 가만히 있는 게 나을까? 정후와 성주의 톡이 오가는 중에도 나는 혼란스러웠다.

정후는 작년에 내가 따돌림을 당할 때 말을 붙여 준 친구인데. 아무도 내게 다가오지 않았을 때, 마치 나와 자주 놀았던 것처럼 대뜸 피시방을 가자고 했다. 나는 피시방을 좋아하지 않았지만, 정후를 따라나섰다.

"뭐가 고맙다고 그래. 혼자 가기 심심해서 같이 가자고 한 건데. 그리고 난 이렇게 해."

정후는 나와 보폭을 맞추며 주머니를 흔들었다. 주머니 가운데가 불룩 나와 있었다.

"뭐야?"

"뻑큐! 열 받으면 주머니에 손 넣고 날리는 거지."

주머니에서 뺀 손은 가운뎃손가락이 하늘을 가리키고 있었다. 온 세상을 가볍게 들어 올리듯 힘차고 당당한 가운뎃손가락. 웃음이 났다. 억울함이 조금 가시는 듯했다.

"지난번 일, 그런 건 엿 먹으라고 해. 애들이 유치하다니까. 못됐어. 기죽지 마. 그렇다고 싸우는 거 귀찮고 겁나잖아. 도망치는 게 나쁜 것도 아냐. 난 열 받을 때 이러고 나면 좀 괜찮아지더라고."

빠르게 말하는 정후 말에 장단을 맞추듯 가방 안에서 누군
가가 낙서한 필통이 덜그럭거렸다. 메갈, 꼴페, 꺼져……. 몇
몇이 내게 붙인 그 단어의 의미를 파악하기도 전에 나는 그
단어의 올가미에 걸렸다.

친했던 사이가 한순간 멀어지거나 어울리지 않을 것 같던
애들이 둘도 없는 사이가 되는 걸 보아 왔다. 싸워서 멀어지
거나 분위기에 휩쓸리다 보면 무리에 끼지 못하는 애도 있었
다. 절친이라도 있으면 괜찮을 텐데, 그렇지 못하면 외톨이
가 됐다. 학교는 학교 폭력을 엄중하게 다룬다고 했지만, 은
근하게 따돌림을 당하는 애는 있기 마련이었다.

하필 그게 나였다. 가정도 편치 않아 부모님에게 하소연할
수도 없었다. 아빠가 주식이며 가상 화폐에 투자를 하다 큰
돈을 까먹어 도망치듯 좁은 집으로 이사 온 뒤부터 집안 분위
기는 자주 살벌했다. 가난은 고통을 분담하게 하지 않고 노
골적으로 본심을 드러내게 했다. 부모님은 자주 다퉜고 나는
의기소침했다. 아빠를 원망하다 엄마를 원망하게 됐고 그 끝
은 부모님을 원망하는 나를 미워하는 거였다. 집에서뿐만 아
니라 전학을 온 학교에서도 겉돌았다. 그러다가 괴롭힘을 당
한 건 다른 애들의 대화에 끼어들고부터였다.

"그거 여혐 아니야? 조금 전에 한 그 말."

내 말에 애들이 돌아봤다. 옆 학교에서 스쿨 미투가 터져 우리 학교도 어수선했고, 집에선 부모님이 서로에게 건넨 혐오의 말이 쌓여 숨 막힐 때였다. 그게 싫어 차라리 헤어져 버리라는 마음이 들다가도 진짜 헤어지게 될까 봐 엄마가 눈물을 훔치는 걸 모른 척하고 문을 걸어 잠그던 때였다.

"뭐래니? 아무거나 다 여혐이래. 너야말로 남혐 아니냐?"

"조까, 프레임 걸지 마라. 뭔 개드립이야?"

"왜 편 가르기 하냐? 오버 쩌네."

내 말에 몇 명이 발끈했다. 그때 대꾸를 했으면 더 나았을까? 할 말이 없던 것은 아니지만 나를 향해 쏟아지는 반발에 움찔했다. 욕먹는 게 싫었다. 갑자기 주목받는 것도 불편해 볼이 화끈 달아오르는 걸 느끼며 고개를 돌렸다.

그때부터 서너 명의 시비가 나를 향했다. 내 말에 트집을 잡거나 내 어깨를 치고 지나가면서 "미안, 이거 성추행 아니다." 하고는 키득거렸다. 괴롭힘을 당한다고 담임 선생님에게 이를까 생각했지만 그러지 못했다. 무심코 보면 성격이 안 맞는 사이처럼 보일 정도의 은근한 괴롭힘이었다.

집과 학교 모두에서 몸이 늪에 반쯤 빠진 것 같았다. 집에 들어갔다가도, 교실에 들어서기도 전에 돌아서 나가고 싶었다. 그때 내게 다가와 준 게 정후였다. 정후 덕분에 학교는 다

닐 만해졌고 3학년 때에도 같은 반이 되어 학교가 좋아지기
까지 했다. '안 고독한 삼인방'에 들 수 있었던 것도 정후가
있어서였다.

지금은 정후가 난처한 상황이었다.

― 소은이가 시켜 걔 남친이 노래방에서 어떤 애 때렸다
며! 그 일로 학폭 열리고 소은이도 학급 이동 받았다며! 우리
학교 온 거는 거의 강전인 거잖아. 안 그래?

― 소은이가 피해자라고 하기엔 문제가 있지 않아? 걔 솔
직히 나댔잖아.

성주가 연거푸 톡을 올렸다.

성주 말대로 소은이는 전학을 온 첫날부터 나보다 더 오랫
동안 이 학교에 다닌 애 같았다. 나와 멀리 떨어져 앉았는데
도, 내가 귀 기울이지 않아도, 시끄러운 애들 틈에서 소은이
의 목소리는 다 들렸다. 무용을 하는 건 연예인이 되기 위한
수단이라는 것, 전 학교에서 성적이 상위권이었다는 것, 아빠
가 변호사라는 것 등을 알고 싶지 않아도 저절로 알게 됐다.
수업 시간에도 예외 없이 자주 너스레를 놓았다.

"3·1 운동과 간디의 독립운동, 마틴 루서 킹의 인권 운동
의 공통점이 뭐라고 했죠?"

도덕 선생님의 질문에 소은이는 "양성평등을 위한 운동이

요."라고 농담이 분명한 대답을 했다. 나서길 좋아해 수업 분위기를 흐릴 때도 있지만 발표를 잘해서 수업을 이끌기도 했다. 반 애들은 소은이와 금방 친해지는 듯했다. 여자애들은 쉬는 시간이면 소은이를 둘러쌌고 남자애 몇몇은 소은이 뒤에서 알짱거렸다. 전 학교에서의 일이 알려지기 전까지 그랬다.

— 지난 일로 수군대고 욕하는 게 마음에 안 들었어. 당사자 아니면 진실은 모르는 거고. 자기에 대한 소문을 소은이가 아는 게 서로에게 좋을 거라고도 생각했고. 소은이가 우리한테 잘못한 건 딱히 없지 않아?

정후가 다시 톡을 올렸다.

— 그건 정후 말이 맞지.

— 맞긴 뭐가 맞아? 지형이 너까지 왜 그래? 문제 일으켰잖아! 소은이가 나 학폭 건다잖아!!

내가 톡을 올리자마자 성주는 쏘아붙였다.

소은이랑 친했던 건 아니다. 내가 좋아하는 부류의 애도 아니고. 오히려 내겐 시끄러운 애, 조용히 시키고 싶은 애였다. 그런데도 정후 편을 드는 건…… 정후에 대한 마음의 빚 때문만은 아니었다. 어쩌면…… 그건…… 내 문제였다.

다시 따돌림의 대상이 되는 건 상상하고 싶지 않았다. 작

년에 따돌림을 당했고 그게 내 표식이 될까 봐 겁먹었다. 작
년의 왕따가 올해의 왕따로 이어지는 건 나의 큰 두려움이었
다. 정후와 소은이가 그 비슷한 처지가 되자 나의 두려움이
되살아났다.

　－지형이 네가 상관없다고 그렇게 말하는 건 아니지. 정후
가 트롤 짓 한 거 때문에 증거가 되는 거잖아. 나도 다른 애한
테 받아서 올린 건데 교무실 불려 가게 생겼다고!

　성주가 올린 소은이의 소문을 캡처해 소은이에게 준 게 정
후였다. 정후는 미처 예상하지 못했지만, 소은이는 울지도,
참지도, 소문에 대해 변명하지도 않았다. 반 애들을 향해 화
를 냈다.

　"누구냐, 내 욕 돌린 사람?"

　아무도 대꾸하지 않자 더 큰 소리로 "개찌질하네. 할 말 있
으면 앞에서 해. 뒤에서 지랄 말고. 비겁하게 이런 소문 내니
깐 좋냐? 우리 아빠 변호산 거 알지? 이거 사실 적시여도 명
예 훼손인데, 사실도 아니거든? 내 행동에 문제가 있었어도
그거 다 벌 받고 끝난 일이라고! 일사부재리의 원칙 모르냐?
벌 받았으면 그것으로 끝인 거! 쓴 사람, 유포한 사람 다 내가
학폭으로 걸 거니까 딱 기다려!"

　그 말은 진심이었다. 소은이는 바로 담임 선생님에게 알

렸다. 쉬운 방법이지만 섣부르게 사용하지 않는 방법을 아주 쉽게 썼다. 누군가에게 공격받을 때, 혹은 화났을 때 나처럼 참거나 물러나지 않았다.

그날도 난 덮어 버렸다. 아빠가 매일 그러는 것도 아닌데, 술만 먹으면 다른 사람이 된다고 한두 번 들은 소리도 아닌데, 집 안을 난장으로 만들어도 엄마가 참고 버티니까, 아빠를 바꿀 수도 없으니까. 나의 최선은 빨리 어른이 돼서 부모님에게서 벗어나는 것. 부모님에 대한 불만이 사소한 일이라고 구겨 버리는 거였다.

― 솔직히 소은이가 학폭 걸 줄은 몰랐어. 나 때문에…….
미안해.

뭐라고 말을 해야 할까 망설일 때, 내가 침묵하는 사이, 정후는 그 말을 남기고 단톡방을 나가 버렸다.

2

"공통점은 양성평등이 아니에요. 그럼 뭐예요? 바로 비폭력 운동이에요. 3·1 운동과 간디의 독립운동, 마틴 루서 킹의 인권 운동 모두 비폭력적으로 일본과 영국 정부, 흑인 차별에 대한 저항 운동을 한 거예요."

도덕 선생님이 스크린을 넘기며 말했다.

"마틴 루서 킹은 우리가 중대한 일에 침묵하는 순간 우리의 삶은 종말을 고한다며 적의 말보다 동지의 침묵을 기억하게 될 거라고 했죠. 그러면서 비폭력의 중심에는 사랑의 원칙이 있어야 한다고 강조했습니다. 여기서 핵심은 '동지의 침묵'과 '사랑의 원칙'인데요. 그 의미를 이야기해 볼까요?"

"선생님, 사랑의 침묵도 있지 않나요? 자꾸 지적하고 들추는 것보다 사랑으로 감싸 주는 게 더 큰 사랑일 수도 있잖아요."

성주가 말했다.

"네가 부모라면 자식이 담배 피워도 덮어 줄 거야? 친구가 나쁜 짓을 하는데 감싸 줄 거야? 그게 사랑은 아니지."

소은이가 말했다.

"중대한 일에 침묵하지 말라는 건데, 중대한 일의 기준은 저마다 다를 것 같아요."

정후가 말했다.

친구들의 말 사이로 불쑥 작년의 일이 떠올랐다. 내가 따돌림을 당하는 걸 반 애들은 몰랐을까? 많은 애가 모른 척해서 내가 받는 괴로움이 당연한 것 같았다. 나를 괴롭히는 애들과 친하게 지내는 애들을 보며, 진짜 내가 잘못한 걸까? 자책하는 시간이 길어졌다. 그럴수록 그들이 내게 보낸 무관심과 악의가 쌓여 누군가를 뾰족하게 노려보게 했다. 친구들뿐만 아니라 선생님과 부모님까지도. 그들을 욕하고 해치고 싶은 욕구를 참느라, 나를 지키기 위해 다짐하고 또 다짐했다.

망가지지 않을 거야. 알아서 잘 자랄 거야. 분명히 학년이 올라가면 더 나아질 거고, 상처는 나를 더 단단하게 만들어 줄 거고, 눈물 흘리는 것 따위 무섭지 않을 테고, 20대도 될 거고, 여행도 다닐 거고, 연애도 할 거고, 돈도 벌 거고, 독립을 할 거고, 그러기 위해 공부도 열심히 할 거고, 끝까지 잘 버틸 거고……. 그런 말이 입안에서 절룩거리며 돌아다녔다.

조금 더 적극적으로 정후 편을 들어줘야 할까? 하지만 성주가 화나는 것도 당연한데. 내가 머뭇거리는 동안 반 분위기는 빠르게 변했다.

처음에 반 애들은 소은이 눈치를 봤다. "진짜 학폭 걸 거야? 미안해." 하며 소은이의 표정을 살폈다. "장난인데 학폭이 말이 되니?" 하며 따지는 애도 있었다. "다른 애한테 전달받은 거 전달한 거야. 나까지 걸면 진짜 억울해." 하며 하소연했다.

하지만 애들의 두려움은 오래가지 않았다. 반의 3분의 1

정도가 담임 선생님에게 불려 가 일대일 면담을 하는 상황이
되자 오히려 소은이는 아이들로부터 철저하게 외면당했다.
별일도 아닌 걸로 일을 크게 만든 애, 담임 선생님에게 이른
찌질한 애, 가해자였으면서 피해자 코스프레를 하는 애.

정후도 마찬가지였다. 고자질쟁이, 친구들을 가해자로 만
든 애. 작년의 나처럼 따돌림의 대상이 된 건 확실했다. 점심
시간이 끝나 갈 무렵 누군가가 카톡 프로필 얘기를 꺼냈고,
그게 신호였다.

"프사 바꿨더라. 바다에 갔었어?"

"주말에 갔었지. 풍경 멋지지 않냐?"

"나도 플필 코코로 바꿨어."

"우와! 귀여워. 나도 강아지 키우고 싶다."

애들이 휴대 전화를 보며 말했다.

"바다? 어디?"

정후가 물었지만 아무도 대답이 없었다.

"강아지가…… 어딨어? 검정 화면만 보이는데?"

정후가 화면을 이리저리 넘기며 고개를 갸우뚱했다. 정후
에게 불길한 일이 벌어지고 있다는 느낌이 들었다.

"넌 안 보여? 네 폰이 구린 거 아니냐? 웬만하면 폰 바
꿔라."

"강아지는 착한 사람 눈에만 보인대."

정후만 빼고 주변 애들의 웃음이 터졌다. 맞은편 애가 정후에게 휴대 전화를 내밀었다.

"아…… 그러네……. 강아지, 푸들, 하핫."

정후가 헛웃음을 웃었다.

"장난인데 뭘 그래? 프로필 설정 사람마다 다르게 할 수 있는 거 몰랐어?"

누군가가 말했다.

아빠도 말했다.

"술이 장난이 심하네. 아후, 안 깨."

한바탕 소란을 피운 다음 날이었다. 아빠는 살림이 어지럽게 널브러져 있는 거실을 치우며 머쓱하게 웃어 보였다. 미친. 술이 장난쳤다고요? 술 처드신 건 아빠거든요? 그 말이 목구멍에 걸려 달그락거렸다. 엄만 굳은 표정으로 내게 지폐를 내밀었다. 신경 쓰지 말고 나가라는 소리다. 엄만 그 꼴을 당하고도 괜찮아? 엄마가 그러니까 아빠도 더 저러는 거 아냐? 쏘아붙이고 싶은 걸 참았다. 그 말들을 삼키고 받아 든 지폐가 주머니에 꾸깃꾸깃하게 있었다.

"정후야, 나 좀 잠깐 볼래?"

나는 정후가 있는 쪽을 향해 말했다. 정후가 일어섰다. 애들이 턱을 조금 치켜올리고 업신여기듯이 나와 정후를 번갈아 봤다.

"지형이는 뭐냐? 쟨 이번 일 상관없나?"

"야, 김정후. 소은이보다 네가 더 나쁜 거 알지? 넌 솔직한 것도, 정의로운 것도 아냐. 개수작한 거야. 스니치 새끼야!"

"스니치? 그게 뭔데?"

"고자질쟁이! 영어 시간에 졸았냐?"

등 뒤로 꽂히는 소리를 들으며 교실을 빠져나왔다. 복도 끝, 막다른 코너에 섰다.

"휴우."

정후는 어깨를 풀썩 떨어트렸다.

"짜증 나지? 요즘도 이거 해?"

내가 주머니에 손을 넣고 흔들어 보였다. 꾸깃꾸깃한 지폐 옆에 어색한 '뻑큐'가 있었다.

"가끔 하지. 아까도 할 뻔했어."

정후는 힘없이 말했지만 곧 풋, 하고 웃음을 터트렸다. 한 손을 주머니에 넣고 불룩하게 하고는 흔들었다. 그러나 곧 굳은 표정이 되었다.

"나 때문에 난처하지?"

"성주도 샘한테 불려 갔잖아."

"알아."

"성주는 네가 단톡방을 나가서 더 화났어. 절교당하는 기분이 든다고……. 적반하장이라고."

"단톡방을 나오지 말아야 했나 하는 후회도 했는데, 미안하기도 하고 속상해서 그 방에 있기가 힘들었어. 성주한테는 따로 연락하려고."

"그래……. 소은이랑은 얘기해 봤어?"

"아니. 이 상황에서 소은이한테 뭐라 하기도 웃기고……. 지금은 애들 말대로 내가 제일 잘못한 거 같기도 해서."

정후가 고개를 숙였다.

"저기, 소은이!"

내가 복도 끝을 가리켰을 때 소은이가 교실에서 나오고 있었다. 나와 눈이 마주치자 소은이는 망설임 없이 곧장 우리에게로 다가왔다.

3

"둘이 구석에서 뭐 해?"

소은이는 우리에게 걸어오며 큰 소리로 물었다. 쟤는 남들 다 들으라고 일부러 저러는 걸까? 마땅치 않아 인상이 써졌다.

"학폭 진짜 걸 거야? 걱정돼서."

소은이가 가까이 오자 정후가 물었다.

"누굴 걱정해? 내 편인 줄 알았더니 가해자 편이야? 내 편 없는 거 존나 싫어. 으, 싫어."

소은이는 몸서리치는 시늉을 했다.

"누구 편을 들려는 게 아니라, 나 때문에 일이 커지는 것 같아서 기분이 안 좋아."

"기분 안 좋은 건 미안한데, 그게 왜 너 때문이니? 그런 소문 낸 애들이 잘못이지."

"학폭 걸라고 네게 알려 준 건 아니야. 다른 방법도 있을 텐데……."

정후가 떨떠름한 표정을 지었다.

"나만 참고 당하고 있으라고? 그건 아니지."

"그렇다 쳐도 네가 일을 키우는 바람에 정후도 난처해진 거 알지?"

내가 아는 정후는 누구보다도 부당한 걸 싫어하고 이성적으로 행동하는 아이다. 사실인지 아닌지 알 수 없는 소은이

23

뒷담화가 퍼지는 걸 모른 체하기 싫었을 거다. 뒷담화는 저절로 사라지기도 하지만 대부분 편 가르기나 더 큰 따돌림으로 몸집을 부풀리기 마련이니까.

"그렇다고 쪼냐? 뭔 일 있으면 내가 네 편 들어 줄게. 근데, 지난 학교에서 학폭 열리는 거 진짜 별로였어. 지금은 그때와 입장은 다르지만, 별로는 별로지."

소은이는 조금 뜸을 들이더니 이어서 말했다.

"학폭 대신 어학연수 다녀오려고 해. 알아보고 있는데 곧 가게 될 거 같아."

"어학연수?"

내가 놀라서 물었다. 예상하지 못한 전개였다.

"가고 싶어서 가는 거야?"

정후가 의아해했다.

"반반이야. 애들한테 정떨어진 것도 있고. 이번 기회에 가서 영어라도 더 해 와야지. 학교에서는 공부 잘하는 애가 제일 소중하잖냐. 난 소중한 애가 될 거란다. 당분간 어학연수 간다는 건 비밀이야."

소은이가 거드럭거리며 말했다.

"지금 학급 분위기 완전 망인데 사실대로 말하는 게 낫지 않아? 학폭 건다고 해서 살벌한 거잖아. 정후만 더 욕먹고 있다고."

"잘 알지도 못하면서 뒷담 까고 인격 모독한 건 걔네가 먼저야. 며칠 동안이라도 애들 혼 좀 나 보라고 해. 벨 울렸다. 들어가자. 나중에 얘기해."

소은이가 돌아서 교실로 갔다.

"이따 담임한테 같이 가 볼래?"

정후는 소은이의 말을 확인하고 싶어 했다. 나도 궁금했다. 학폭을 거는 게 아니라면 성주나 반 애들과도 화해하기 쉬울 거였다.

"작당 모의라도 했니?"

교실에 들어가는데 누군가가 말했다.

"말조심해. 정후까지 학폭 걸면 어쩌려고 그러냐?"

다른 애의 말이 보태졌다.

"그만 좀 하자. 다 망하고 싶냐?"

소은이가 소리쳤다.

"너나 망해."

성주의 나지막한 목소리가 교실에 흩어졌다. 소은이가 금방이라도 덤빌 듯이 성주를 노려봤지만 마침 선생님이 들어왔다.

망하고 싶은 사람이 있을까? 애들은 망하기 싫어서 서로를 상처 입히는 중이었다.

나는 망하기 싫어서 작년의 일을 버텼다. 버티다 보니 정후와도 친해졌고 견딜 만해졌다. 어려운 수학 문제를 간신히 풀고 나면 쉬운 문제는 더 쉬워지는 것처럼 고통도 그러했다. 최근엔 그 고통 사이에 엄마의 말도 끼어들었다.

"식탁 모서리에 부닥쳐서……. 조금만 참아. 너 대학생 되면 갈라설 거야."

지난주 엄마는 허벅지에 멍든 자국을 이리저리 눌러 보며 말했다. 보라색이었던 멍은 노랗게 변하는 중이었다. 엄마의 계획이 좋다고 해야 할지 싫다고 해야 할지 몰라 대꾸하지 못했는데, 그때 나의 침묵처럼 지금 교실엔 여러 마음이 부딪쳐 차가운 침묵이 내려앉고 있었다.

"어서 와. 무슨 일이야?"

담임 선생님은 책상 정리 중이었다. 책꽂이에 책을 꽂고 노란 테두리의 액자를 책상 왼쪽 모서리에 놓았다. 담임 선생님을 가운데 두고 반 애들이 둘러싼 단체 사진이었다. 성주는 정후에게 팔짱을 끼었고 그 옆에 내가 두 손을 모으고 서 있었다. 소은이는 담임 선생님 옆에 바짝 붙어 두 손으로 하트 모양을 만들고 있었다. 모두가 활짝 웃고 있는 사진. 하지만 지금 나와 정후는 사진에서처럼 웃을 수 없었다.

"소은이 일 때문에요. 학폭 안 걸고 어학연수 간다면서요?
진짜예요?"

정후가 물었다.

"그럴 것 같아. 왜?"

"반 분위기가 안 좋아서요."

"어제도 두 녀석이 와서 그러더니……. 아까 점심시간에
는 한 녀석이 와서 그러고."

"네?"

동시에 말이 튀어나왔다.

"대충 파악하고 있으니까, 샘이 좀 더 신경을 쓸게."

담임 선생님은 자리에서 일어서더니 나와 정후의 어깨를
가볍게 두드렸다.

교실로 돌아오며 정후는 주머니에 손을 찔러 넣었다. 내가
주머니를 바라보자 "안 했어."라고 손을 빼 보였다. 쫙 편 손
바닥을 가볍게 흔들더니 "다행이다."라고 중얼거렸다.

"소은이가 가게 돼서?"

내가 물었다.

"아니. 뭔가…… 말하는 친구들이 있어서. 잘못이든 불편
함이든 건의든. 다 같이 말할 기회가 있으면 좋겠어. 내가 욕

먹더라도. 아니, 욕먹고 있지만."

정후는 싱긋 웃었다. 긴장으로 굳어 있던 마음이 조금은 풀린 듯했다.

교실은 시끄러웠다. 애들은 종례를 기다리며 떠들고 있었다. 두세 명의 목소리만 들리는 것보다도, 아무도 말이 없는 것보다도, 여럿이 떠드는 소리는 들을 만했다.

4

잠이 깬 건 아빠의 목소리 때문이었다.

"씨팔, 배고프단 말도 못 해?"

엄마 목소리는 잘 안 들렸다.

"나 혼자 잘 살자고 빚졌니? 응?"

부모님은 서로 말없이 지내다가도 어느 순간 사소한 시비가 붙으면 사람의 말은 사라지고 짐승의 소리로 싸웠다. 오늘이 또 그날이었다.

"나도 어떻게든 살아 보려고 하는 거잖아!"

아빠 목소리가 더 높아졌다. 싸우는 소리를 안 들으려고 이불을 뒤집어썼다.

"다 못마땅하지? 그치? 술도 네 허락 받고 마셔야 하니?"

반복되는 레퍼토리. 참을 수가 없어 이불을 젖히고 일어났다. 방문을 열었다.

"시끄러워! 제발 그만 좀 싸우면 안 돼?"

엄마가 들어가라고 눈짓을 했고 아빠는 나를 향해 돌아섰다.

"이게 어디서 말버릇이……. 너 거기 안 서?"

내가 방문을 닫으려는 순간 아빠가 거칠게 내 목덜미 쪽 옷을 잡았다. 술 냄새가 훅 끼쳤다. 흔들거리는 아빠를 따라 나도 휘청거렸다.

"내 몸에 손대지 말라고!"

나는 소리치며 몸을 거칠게 비틀었다. 아빠 손아귀에서 빠져나와 큰 소리가 나도록 방문을 닫았다. 잠깐 고요했다. 그러나 곧 아빠의 욕설과 엄마의 악쓰는 소리가 났다. 부모님은 싸울 상대가 필요해 헤어지지 않는 게 분명했다. 그게 아니라면 사랑의 원칙 따위 잊은 지 오래였다.

쿵, 하고 무엇인가 둔탁하게 떨어지는 소리.

"진짜 경찰 부르는 수가 있어!"

엄마가 소리쳤다.

내게 툭 떨어지는 말. 심장이 금방이라도 튀어나올 듯 빠르게 뛰었다. 방문 손잡이를 돌렸다. 문이 열리지 않았다. 손잡이는 자꾸 헛바퀴만 빙그르르 돌았다. 나보다 힘센 사람이 필요했다.

'괜찮아. 괜찮을 거야……. 아니야, 저러다 잘못될지도 몰라. 혼 좀 내 줘. 말려 줘. 아니지, 내가 엄마와 아빠가 서로에게 갇힌 시간을 깨 줄게.'

전화를 걸었다.

112.

"네, 경찰섭니다."

등골이 오싹했다. 손이 떨렸다. 이게 맞나? 나를 재촉하는 심장 소리가 점점 크게 들렸다.

작가의 말

아마도 우리 모두이지 않을까 싶습니다만, 이 모임에 폭력
의 피해와 가해를 경험한 분, 그것을 방관한 분 들을 초대했
습니다.

모임에서는 세 가지를 지켜 주시기 바랍니다. 첫째, 다른
사람이 말할 때 듣기 싫은 말이라 해도 잘 들어 주어야 합니
다. 둘째, 말하고 싶지 않으면 침묵할 권리가 있습니다. 셋째,
이곳에서 나눈 이야기로 뒷담화 하면 안 됩니다.

이 규칙만 지킨다면 모임에서 일어나는 모든 일은 허용합
니다. 이곳에서 제가 듣는 여러분의 이야기는 비밀 유지가
보장됩니다. 아, 물론 범죄와 관련된 건 비밀 유지가 안 됩니
다. 범죄의 사례가 있다면 적극적으로 여러분을 돕겠습니다.

자, 그럼 온 힘을 다해 노력하는데도 가시지 않는 괴로움에 관해, 덧난 상처나 터트리고 싶은 분노, 혹은 자신에게 필요한 사랑에 관해 이야기를 나누겠습니다. 누가 먼저 말씀하시 겠습니까?

저는 들을 준비가 되었습니다.

02

사랑하는 영지

강석희

2018년 《동아일보》 신춘문예에 단편 소설 〈우따〉가 당선되며 작품 활동을 시작했다. 제1회 창비교육 성장소설상 우수상을 수상했다. 지은 책으로 소설집 《우리는 우리의 최선을》이 있다.

　장마가 시작되던 날의 아침, 영지는 옆 침대의 아주머니를
보고 있었다. 투명한 병 속의 수액이 아주머니의 핏줄로 들
어가고 있었다. 영지는 그게 이상했다. 관 속의 액체가 흐르
는 것 같지 않았기 때문이다. 그럼에도 저것은 계속 아주머
니에게 가서 기운을 주겠지. 아주머니의 손등에 꽂힌 주삿바
늘이 조금씩 떨리는 걸 보고 있던 영지는 엄마의 기척에 몸을
일으켰다.

　잠이 덜 깬 엄마의 푸석한 얼굴 뒤로 굵은 빗방울이 창을
때리고 있었다. 영지는 서랍에서 전화기를 꺼내 전원을 켰
다. 답할 필요가 없거나 답하고 싶지 않은 메시지들을 지우
고 나니 사서 선생님에게서 온 메시지가 맨 위에 남았다. 영

지는 눈을 감고 도서관에서 보낸 시간을 떠올렸다. 책을 읽지는 않았다. 그냥 앉아 있었다. 울지도 웃지도 않고 조금 구부정하게, 멍하니 앞을 응시하는 영지. 영지는 그런 자신의 모습을 타인의 눈을 빌린 것처럼 보다가 눈을 떴다. 그리고 몇 번이나 읽었던 선생님의 메시지를 오전 내내 여러 번 읽었다.

오후 2시가 조금 지났을 때 영지는 병원 침대를 45도로 세워 놓고 메일을 쓰기 시작했다. '선생님께'까지 적었는데 손이 심하게 떨렸다. 영지는 오른손으로 왼손을, 왼손으로 오른손을 번갈아 주무르면서 한참 동안 창밖을 봤다. 비는 그치지 않았다. 장마일까, 생각하면서 숨을 마시고, 장마여라, 생각하면서 숨을 뱉었다. 영지의 손가락이 키보드 위에 차분히 놓인 건 그다음이었다.

*

중학교 3학년 겨울, 영지는 '이어폰 줄 빨리 풀기 대회'에 참가한 적이 있었다. 마지막 내신 시험을 마치고 홀가분한 기분으로 학교 축제를 즐기던 중이었다. 친구들과 팔짱을 끼고 남학생 반에 구경을 갔는데 그런 대회를 하고 있었다. 상

품은 '선이분식'에서 제공한 만 원 상당의 쿠폰이었다. 영지
는 친구들의 응원을 받으며 대회에 나갔다. 다 덤벼. 그런 마
음이었다. 그 시절 영지는 뭐든 잘했고, 잘할 수 있다고 믿었
다. 이어폰 줄 따위 아무리 꼬아 놓은들 단숨에 풀어 버릴 수
있어. 짧지 않았던 15년 9개월 인생에서 꼬인 채로 남겨 둔
것은 없었다. 공부도, 친구도, 자신의 마음도, 모두 잘 풀어 가
며 살아왔다고 자부했다.

영지는 정말 1등을 했다. 영지의 손에 걸린 이어폰들은 순
식간에 풀렸다. 손가락으로 집어 올려 몇 번 당기면 끝이었
다. 쟤 평소에 저것만 연습하는 거 아냐? 경외에 찬 목소리로
감탄하는 아이도 있었다. 영지는 조금 들떴다. 이게 뭐라고,
생각하면서도 어쩐지 날개 뼈가 위로 올라가는 기분.

그러나 영지가 몰랐던 사실이 있었다. 영지 앞에 놓인 이
어폰들이 그토록 쉽게 풀렸던 것은 현우 때문이었다. 현우는
두 달 전부터 영지를 좋아하고 있었다. 영지가 자신의 교실
에 들어오는 걸 봤을 때 현우는 숨이 가빠졌고, 영지가 대회
에 참가한다고 했을 때는 속으로 환호했다. 이어폰 줄에 관
해서라면 현우야말로 전문가였다. 잔뜩 엉킨 이어폰 줄을 취
미 삼아 풀곤 했던 현우는 그 대회의 기획자이자 진행자였다.
그러므로 모두가 지켜보는 앞에서 영지의 이어폰만 교묘하

게 풀어 놓을 수 있었다.

아이들이 영지에게 박수를 보내는 것, 영지가 떡볶이를 먹을 수 있게 된 것이 현우를 기쁘게 했다. 그런 것을 다른 누구도 아닌 자신이 해 줄 수 있어서 행복했다. 그렇게 생각하니 영지가 더 좋아지는 것 같았고 좋아하는 마음이 너무 커져서 가슴이 뻥, 터져 버릴 것 같았다.

계절이 한 번 바뀌고 영지와 현우는 같은 고등학교의 같은 반이 되었다. 그리고 3월의 마지막 날, 새해 들어 가장 밝고 따뜻했던 영지의 열일곱 번째 생일에 현우는 제일 먼저 축하 메시지를 보냈다. 그날 아침 영지의 휴대 전화에는 익숙하고 다정한 이름들이 보낸 축하가 가득했다. 하나씩 눌러서 확인해 보고 싶었지만 영지의 손가락이 닿은 메시지는 한참 아래에 있는 것, 12시 정각에 도착한 현우의 것이었다.

― 최영지, 안녕? 생일 축하해! 내가 1등이지? 1등이면 좋겠당 ⟩〈

이름은 'ㅂㅎㅇ', 프로필 사진은 처음 보는 축구 선수였지만 영지는 메시지의 주인이 박현우라는 걸 단박에 알았다. 영지의 주변에 이름의 초성이 비읍, 히읗, 이응인 사람이 현우밖에 없기도 했지만, 무엇보다도 메시지에서 현우의 목소

리가 들리는 것 같았다. 밝고 거침없으면서도 어딘지 동글동
글한 현우의 목소리는 교실 어디에서나 잘 들렸다. 그러므로
영지가 궁금했던 건 '누가'가 아니라 '왜'였다. 박현우가 왜?
걔가 왜 내 생일을 1등으로 축하하고 싶었을까?

영지는 현우와 딱히 뭘 한 기억이 없었다. 현우에 대해서
궁금해한 적도 없었다. 하지만 생일 축하를 받아 버리고 나
니까 생각을 하게 됐다. 걔가 어떤 애였더라. 그러니까 박현
우는, 선생님이 부르면 큰 소리로 대답을 잘 하는 애, 교무실
에 심부름을 자주 가고 돌아올 땐 꼭 먹을 걸 받아 오는 애, 친
구들과 있을 때면 가운데 있거나 맨 앞에 있는 애였다. 대충
떠오른 게 그 정도였고 그걸로 끝인 줄 알았는데 더 사소한
것들, 이를테면 축구를 좋아한다는 것, 급식소 갈 때 누구보
다 빠르게 뛰어간다는 것, 그런 것들까지 줄줄이 떠올랐다.
더 많은 이야기도 하라고 하면 할 수 있을 것 같아서 영지는
스스로에게 놀랐다.

일단 메시지에 답부터 하기로 했다. 그런데 뭐라고 하지?
간단하게 보내면 될 줄 알았는데 첫마디를 쓰기도 쉽지 않았
다. 고민 끝에 영지는 이렇게 답을 했다.

– 웅~! 너 1등 맞아 ㅎㅎ 고마웡 :)

끝에 넣은 이모티콘은 ♥를 넣었다가 지운 자리에 쓴 것이

었다. 성의는 있되 담백하게 보이려고 조심했는데도 보내고
나니 너무 다정해 보였다. 영지의 볼이 발갛게 물들었다. 보
낸 메시지 옆의 숫자 1은 바로 사라졌다. 현우는 금방 답을
했다.

－우와, 대박! 나 선물도 샀어. 점심시간에 도서실로 와~

그때부터 영지의 가슴은 마구 뛰었다. 얼굴에 오른 홍조를
친구들이 알아보았으나 생일이라 기분이 좋아서 그렇다고
하니 다들 고개를 끄덕였다. 현우에게 받은 메시지에 대해
말하고 싶었지만 왠지 입이 떨어지지 않았고, 마음은 망설이
면서도 늦지 않게 도서실에 갔다. 먼저 와 있었던 현우가 눈
웃음을 지으며 손짓을 했다. 현우를 따라 종교 서적이 있는
구석 자리로 갔다. 그곳은 아무도 없고 좀 어두웠다. 영지는
문득 무섭다는 생각을 했다. 내가 뭘 믿고 잘 모르는 애랑 이
런 데를……. 그때였다. 현우가 영지를 돌아보며 활짝 웃었
다. 영지는 마음을 툭, 놓았고 현우가 건넨 선물도 스스럼없
이 받았다. 그리고 현우는 말했다.

"나 너 좋아해."

영지는 그대로 얼어붙었다. 넌 무슨 애가 토끼 같은 눈을
하고 그런 말을……. 영지의 머릿속에 좋아하는 가수의 토끼
를 닮은 얼굴이 떠올랐다. 미쳤나 봐. 정신을 차려야 해. 그런

생각을 하는 영지에게 현우는 짐짓 진지한 말투로 또 말했다.

"나랑 사귀자."

영지는 그 순간에 대해 자주 생각했다. 어떻게 그럴 수 있었을까. 머리는 복잡한데 고개가 저절로 끄덕여졌고 정신을 차려 보니 현우와 사귀게 되었던 그 찰나가 이해되지 않았다. 생애 첫 연애가 그토록 갑자기 시작되다니, 믿기지 않았다. 그뿐인가. 그 관계에 온 마음을 쏟게 되고, 그렇게 되기까지 정말 짧은 시간밖에 걸리지 않았다는 것도, 영지는 믿기 힘들었다.

영지와 함께 등교하고 싶었던 현우는 매일같이 버스 정류장 세 개를 거슬러 올라왔다. 현우가 버스에서 내릴 즈음 영지도 아파트 정문을 지났고, 현우는 덜 마른 머리를 나풀거리며 횡단보도를 건넜다. 자신을 향해 해맑은 얼굴로 달려오는 현우를 보며 영지는 생각했다.

저 얼굴을 공짜로 봐도 되나? 그것도 매일?

연애하는 기분이란 이런 걸까. 알 수 없지만 저 애가 너무 좋아. 정말 너무 좋아.

손을 잡고 걸을 때, 축구하던 현우가 공을 쫓다 말고 자신을 보며 웃을 때, 잠자기 전 통화에서 현우의 서툰 노랫소리를 들을 때, 영지는 온몸에서 탄산이 터지는 기분을 느꼈다. 세상을 다시 배우는 것 같았다. 부모님과 학교가 가르쳐 줄 수 없었던 것을 현우로부터, 현우와 함께 보내는 시간으로부터, 현우를 떠올리며 갖는 생각과 기분으로부터 배웠다.

하지만 그날들이 달콤하기만 했던 것은 아니었다. 사귄 지 두 달쯤 지나자 갈등이 시작되었다. 다투고 화해한 뒤 사이가 좋아졌다가, 또 다투고 화해한 뒤 죽고 못 사는 일이 반복되었고 그 주기는 점점 짧아졌다. 그래도 영지는 헤어지고 싶다는 생각은 하지 않았다. 모든 것은 과정일 거야. 우리가 더 나아지기 위해, 더 자라기 위해, 그래서 더 잘 지내기 위해 거쳐야 하는 통과 의례일 뿐이라고. 그러니 우린 쓴맛과 매운맛, 짠맛과 떫은맛까지 다 볼 수 있다. 나는 포기하지 않고 이것을 계속할 거야. 현우야, 나를 믿어. 우리는 행복해질 거야. 영지는 그렇게 마음을 다잡곤 했다.

그러나 싸움 뒤에 남는 것이 너절해진 체력과 정신뿐임을 영지가 깨닫는 날은 결국 왔다. 영지는 어디서부터 어긋났는지를 되짚어 보았고, 현우와 처음으로 다투었던 날의 기억을 떠올렸다.

그날은 '아웃트로'가 컴백한 뒤 첫 번째 주말이었다. 영지는 학원 정독실에 있었지만 공부는 하지 않았다. 음원 스트리밍을 돌리고 공계에 올라오는 멘션을 확인하고 홈마 사진을 저장하는 사이에 팬톡도 챙겨 봐야 해서 바빴다. 그러던 중 현우에게서 메시지가 왔다.

— 뭐 해?

화면 상단에 알림이 떴으나 영지는 바로 답할 수 없었다. 최애의 음악 방송 직캠이 막 올라온 참이었다. 영지는 선생님의 눈을 피해 이어폰을 낀 다음에 턱을 괴는 척 귀를 가렸다. 최대한 무표정하게 보려고 했는데 댄스 브레이크에서 최애가 카메라를 보며 씩 웃는 바람에 따라 웃어 버렸다. 그 모습을 본 감독 선생님이 휴대 전화를 압수했다. 속이 상한 영지는 물미역처럼 책상에 늘어져 수학 문제 몇 개를 풀다가 졸았다. 뒷자리에 앉은 현우가 노려보고 있는 것은 전혀 몰랐다.

학원에서 집으로 돌아가는 길에 현우는 한마디도 하지 않았다. 표정에 언짢음을 숨기지도 않았고 이따금 땅이 꺼져라 한숨도 쉬었다. 하지만 영지는 눈치채지 못했다. 돌려받은 휴대 전화로 음원 순위를 확인하고 뮤직비디오 조회 수를 체크했다. 현우의 분위기가 심상치 않다는 건 친구들과 만든 단톡방에 올라온 사진들까지 다 본 다음에 알았다. 현우의 어두운 얼굴을 보니 학원에서 받은 메시지에 답을 하지 않았다는 게 생각났다. 조금 미안했고, 어떻게 사과를 할까 고민하던 중에 현우와 눈이 마주쳤다. 영지에게 한 번도 보인 적 없는 싸늘한 눈빛이었다.

"저…… 미안해. 화났어, 현우야?"

영지가 말했지만 현우는 시선을 거두고 앞만 봤다. 꾹 다문 입술이 영원히 열리지 않을 것처럼 보였다. 영지의 마음이 복잡해졌다. 주머니에 넣은 휴대 전화는 계속 울렸다. 사진일까, 영상일까, 팬톡일까. 궁금했지만 꾹 참고 현우부터 살폈다. 그사이에 버스는 현우가 사는 동네의 정거장에 섰다. 현우는 인사도 없이 휙 내렸다. 처음 있는 일이었다. 오른쪽 어깨에 가방을 걸치고 뚜벅뚜벅 걸어가는 현우의 뒷모습에서 크기를 가늠할 수 없는 분노가 느껴졌다. 영지가 전화를 걸었지만 현우는 받지 않았다. 사과를 더 했어야 했나? 내릴 때 붙잡았어야 했나? 아예 따라 내렸어야 했나? 영지는 집에 들어가지 않고 놀이터에 앉아 현우에게 긴 메시지를 보냈다. 답은 한 시간 뒤에 왔다.

－니가 뭘 잘못했는지는 아냐?

영지는 당황했다. 뭐라고 답을 해야 할지 알 수 없었다. 곧바로 메시지가 하나 더 왔다.

— 반성 좀 해 봐. 잘못한 거 깨닫기 전에는 연락하지 말고.

그쯤 되자 영지도 화가 났다. 기분이 나쁘면 왜 나쁜지 말을 하면 되지 이게 뭐 하는 짓이야? 다음 날 학교에 갔을 때 현우는 영지를 본체만체했다. 영지도 똑같이 했다. 이상함을 눈치챈 친구들이 무슨 일이냐고 물었다. 걱정하는 얼굴들이었지만 재밌는 이야기를 찾았다는 기대감도 섞여 있는 것 같았다. 영지는 현우와의 문제를 다른 애들에게 말하고 싶지 않았는데,

"아, 이 새끼 잘하네. 애들아, 현우 남자다. 상남자다!"

현우를 중심으로 모인 애들 중에 누군가가 말했다. 현우가 영지를 흘깃 봤다. 영지는 왠지 욱하는 기분이 들었고 전날 있었던 일을 친구들에게 이야기했다. 친구들의 반응은 영지의 예상 밖이었다.

"영지야, 네가 먼저 잘못한 건 맞지 않아?"

"카톡은 둘째 치고 남자 친구 보는 앞에서 대놓고 딴 남자를 보면 어떡해."

걔 앞에서 본 건 아니라고, 걔도 나랑 있을 때 걸 그룹 영상 자주 봤다고, 그런 말은 할 필요도 없을 것 같았다.

"그래서 내가 또 사과를 하라고?"

뭐가 맞는 건지 혼란스러웠지만 친구들이 한목소리를 내

니까 일단 시키는 대로 했다. 점심시간이 끝난 뒤 교실에 돌아오던 현우에게 편지를 건넸다. 주위에 있던 남자애들이 우오오, 소리를 질렀고 영지는 얼른 자리를 떴다.

하굣길에는 현우가 영지에게 먼저 왔다.

"다음부턴 그러지 마."

단호한 표정으로 말한 현우는 금세 미소를 띠고 휴대 전화를 몇 번 두드렸다. 영지의 전화에 진동이 울렸다. 현우가 보낸 선물이 도착했다는 표시가 떴다. 최애의 사인 스트랩 키링이었다. 영지는 어색하게 웃었다. 이거 집에 있는데……. 물론 그 말을 하진 않았다.

"이런 남친이 어딨냐?"

현우가 웃었다. 예쁜 얼굴이라고, 영지는 생각했다. 최애만큼은 아니지만, 어쨌든 웃으니까 좋네. 세상이 다 같이 웃는 것 같아. 그러고 보니 오늘 날씨가 되게 맑았구나. 현우가 영지에게 손을 내밀었고 영지가 그 손을 쥐었다.

그때 그 손을 쥐지 말았어야 했다고, 아니 사과도 하지 말고 그냥 끝을 냈어야 했다고, 내가 내 돈이랑 시간 들여서 덕질 한다는데 네가 왜 지랄이냐 말했어야 했다고, 영지는 오래도록 후회했다.

영지는 현우와 있을 때 '아웃트로'에 관한 어떤 것도 하지 않았다. 그런데도 싸울 일은 계속 생겼다. 현우는 영지가 남자애들과 농담을 하거나 잠깐 웃기라도 하면 날을 세웠다. 냉기를 풀풀 풍기면서, 네가 뭘 잘못했는지 생각해 봐, 그런 말을 수시로 했다. 다른 아이들에게는 한없이 너그럽고 수더분한 현우가 왜 자신에게만 모질게 구는 건지 영지는 이해가 되지 않았다.

싸우고 난 뒤에 사과는 늘 영지의 몫이었다. 걷잡을 수 없이 화를 내는 현우는 무서웠고 침울하게 가라앉는 현우는 안쓰러웠다. 영지는 다신 안 그럴게, 내가 미안해, 같은 말을 계속 했다. 그리고 그 사과의 말들을 자기 귀로 자꾸 듣다 보니 정말 내가 잘못을 많이 하고 있나 생각을 하게 되었다. 그런 생각은 현우와의 미래에 불안을 느끼게 했다. 영지의 마음에 그늘이 드리우기 시작했던 그즈음, 또 다른 사건이 일어났다.

문학 수행 평가였던 '교과서 수록 시인의 다른 작품 소개하기'를 위해 영지는 백석을 읽기로 했다. 유치원 때부터 친했던 경준이 백석을 고르는 걸 보고 따라 한 것이었다. 문학을 좋아하는 경준은 틀림없이 시집을 살 테니까 그걸 빌려 보고 여차하면 도움도 청할 계획이었다. 경준은 늘 그랬듯이 선선히 승낙했고 과제를 먼저 끝낸 다음 영지의 자리에 시집을 올려 두었다. 그리고 영지의 필통 옆에 있던 ABC 초콜릿 두 개를 가져갔다. 영지가 그러라고 했기 때문이다. 그 모습을 본 현우가 오후 내내 영지를 추궁했다. 또 불이 붙기 시작하는 현우에게 무슨 말을 한들 소용없을 것 같아서 영지는 일단 사과를 했다. 집에 돌아온 뒤에는 책상에 엎드려 있었다. 옷도 갈아입지 않고 불도 켜지 않고 밥도 먹지 않았다. 그럴 마음이 들지 않았다. 그러다 문득, 영지는 억울하다는 생각을 했다. 내가 왜 당연한 것, 집에 왔으니 옷을 갈아입고 어두워졌으니 불을 켜고 배가 고프니 밥을 먹고, 그런 걸 못 하고 있나. 왜 나쁜 기분에 사로잡혀서 무너지고 있나. 영지는 현우에게 전화를 걸어 우리 그만하자, 했다. 눈물이 쏟아질 줄 알았는데 그렇지는 않았다. 그냥 마음에 구멍이 좀 난 것 같았고, 그 자리가 좀 시린 것 같기도 쓰린 것 같기도 했지만 마음의 다른 어딘가가 차분해지는 것도 같았다. 이게 맞나? 이별이 이런 건가? 고민 속에서 영지의 밤이 깊어 갔다.

현우는 자정이 가까운 시간에 펑펑 울며 찾아왔다. 나와 달라고. 죽을 것 같다고.

영지는 현우를 만나러 나갔다. 현우는 무릎까지 꿇고 빌었다.

"좋아서……. 네가 너무 좋아서 그랬어."

너무 울어 숨까지 헐떡이는 현우를 일으켜 세운 영지는 말했다.

"알겠어. 그러니까 앞으로는 잘해."

현우는 울음을 그치고 영지를 똑바로 봤다. 영지는 현우가 안도하고 있는 줄 알았다. 그렇게 1초, 2초, 근데 애 눈빛이 좀……, 생각이 들려는 찰나에 현우가 영지를 끌어안았다. 시간이 흐른 뒤 그 순간을 돌이켜 봤을 때 영지는 자신을 뚫어져라 보던 현우의 새까만 동공 뒤로 분노와 패배감, 공포와 소유욕이 동시에 일렁였을 것이라 생각했다. 현우가 경준을 공격했기 때문이다.

체육 시간이었다. 현우는 축구를 했고 영지는 그늘 아래에서 구경을 했다. 자장면 내기를 하기로 했는데 영지가 봐 주면 이길 것 같다는 거였다. 현우는 가볍게 두 골을 넣고 영지를 향해 손을 흔들었다. 현우는 잘 달리고, 잘 차고, 잘 빼앗다가 경준을 쓰러뜨렸다. 경준 앞으로 공이 굴러가자 현우가 맹렬하게 뛰어갔다. 축구에 소질이 없던 경준이 현우의 기에 눌려 공에서 물러섰는데도, 그게 영지의 눈에도 빤히 보였는데도, 현우는 속도를 줄이지 않고 경준을 들이받았다. 쓰러진 경준 주위로 아이들이 몰려갔으나 영지는 꼼짝할 수 없었다. 가면 안 돼. 누군가가 귀에 그렇게 속삭이는 것 같았다.

모래에 엉망이 된 채 앉아 있는 경준과 미안해하는 얼굴로 경준의 옷을 털어 주는 현우를 그저 멀리서 바라보았다. 현우도 영지를 보았다. 민망한 듯 웃으면서. 실수였어, 일부러 그런 게 아냐, 해명하려는 것 같았다. 그 웃음을 보는데, 그러니까 그토록 좋아했던 현우의 웃는 얼굴을 보는데, 영지는 등허리가 찌릿했다. 보고 싶지 않은 미래를 본 것 같았다.

영지의 마음이 엉킨 실타래처럼 되어 가는 동안 현우는 영지를 점점 더 옭아맸다. 영지는 언제라도 현우의 시선과 손길이 닿는 곳에 있어야 했다. 그러므로 영지가 친구들과의 파자마 파티에 가야 했던 날, 두 사람은 또 싸웠다. 이제는 여자애들이랑도 못 놀아? 영지는 그 말을 못 했다. 왜 하고 싶은 말을 하지 못할까. 영지는 그 이유를 알고 있어서 슬펐다. 현우는 억울하다는 투로 말했다.

"거기 가면 밤샐 거잖아. 연락도 잘 안 할 거잖아."

영지는 숨이 막혔다. 현우의 기준에서 연락이 잘 된다는 것은 최소 15분에 한 번은 메시지든 전화든 하라는 의미였다. 영지의 마음에 수많은 말이 출렁였다. 나 걔네랑 모이는 거 거의 두 달 만이야. 그것도 네 눈치 봐 가며 잡은 약속이고. 너도 친구들이랑 놀아. 너 좋아하는 축구도 하고 게임도 하라고. 하지만 어떤 말도 속 시원히 나오지 않았고, 영지는 울었다. 속이 터진다는 게 이런 거구나. 영지는 몸으로 말을 경험했고, 이건 정말 거지 같은 기분이다, 생각했다. 영지가 울자 조금 누그러진 현우가 영지의 어깨를 감쌌다. 영지는 한 걸음 물러서서 현우의 손에서 벗어나려 했다. 현우는 손아귀에 힘을 주면서 한숨을 쉬었다.

"내가 이런 말까지는 안 하려고 했는데."

영지가 고개를 들자 현우가 말을 이었다.

"걔들이 널 친구로 생각하는 것 같아?"

영지는 결국 친구들에게 가지 않았다. 현우 모르게 갈 수도 있었으나, 그렇게 되지가 않았다. 친구들이 영지를 두고 나쁜 말을 했다는 증거는 없었다. 어디서 그런 소리를 들었느냐고, 영지가 묻자 현우는 '누구'한테 들었다고, 그 '누구'라는 애가 거짓말을 할 거 같냐고, 대답했을 뿐이었다. 그럼에도 영지는 친구들에게 가지 못했다. 현우가 알면 피곤해질 거라는 걱정보다 앞선 것은 현우의 말이 만에 하나라도 사실이면 어쩌나 하는 두려움이었다.

다음 날은 토요일이었다. 현우는 또 태도를 바꾸어 사과를 했고, 영지가 답을 하지 않으니 죽어 버릴 거라 했고, 집 앞에

막무가내로 찾아왔다. 영지는 늘 그래 왔듯 현우를 놀이터로 데리고 가서 달래고, 사과를 받아 주고, 나도 이런저런 부분은 미안하게 됐다, 마음에 없는 말을 한 뒤에 내가 몸이 안 좋으니 학교에서 보자, 간신히 돌려보냈다. 그렇게 집에 간 줄 알았던 현우는 숨을 헐떡이며 돌아와서 감기약을 주고 갔다. 영지는 감기에 걸린 게 아니었고, 주말 내내 기분은 엉망이었다.

월요일 아침에 등교를 하자마자 영지는 파자마 파티 이야기를 들었다. 친구들은 옹기종기 모여서 그 밤에 먹었던 음식이 얼마나 맛있었고, 함께 봤던 드라마의 주인공들이 얼마나 아름다웠는지 쉴 새 없이 떠들었다. 거기까진 괜찮았다. 아는 맛이었고 아는 얼굴이었다. 하지만 송주가 희진의 배에 다리를 올려놓고 잤다거나 은이가 설거지를 하면서 컵을 세 개나 깼다는 이야기는 듣고 있기 힘들었다. 부럽고 두려워서였다. 그 밤은 아이들에게 아주 결정적인 밤이어서 그 시간에 속해 있지 못해 벌어진 간격이 나중에는 어마어마하게 커질 것 같았다. 더 이상 친구라 부를 수도 없는 사이가 되겠지. 그리고 그 균열이 지금 막 시작된 것이라면……. 영지는 몸을 가늘게 떨었고 홈 베이스에 가는 척 일어났다. 복도로 나가려 했는데 교실로 뛰어 들어오던 현우와 마주쳤다. 세게

부딪힐 뻔했기에 몸이 굳었다.

"괜찮아? 미안해. 많이 놀랐어?"

현우가 몸을 낮추며 다정하게 말했다. 현우 뒤에 있던 애들이 스윗하네, 같은 말을 해서 영지의 기분은 더 망가졌다. 다 척이잖아. 걱정하는 척, 다정한 척, 멋진 척. 고개를 돌려 보니 친구들은 영지 쪽은 신경도 쓰지 않고 하던 이야기에 빠져 있었다. 영지는 학교에 있고 싶지 않았다. 자리로 돌아가 가방을 챙겼다. 교실이 조용해졌고 현우가 영지에게 얼른 다가와 물었다.

"왜 그래? 무슨 일이야?"

"저리 비켜."

영지는 냉랭하게 말하고 교실을 나갔다. 교실의 공기가 위협적으로 얼어붙는 게 느껴졌지만 영지는 뒤돌아보지 않고 계속 걸었다. 그날 영지는 질병 조퇴를 했다. 정말 몸이 아프기 시작했다. 감기에 걸린 것 같았다. 열이 오르고 입천장이 까끌했다. 스위치를 내리듯이 잠에 들었다가 휴대 전화 진동 소리에 깼다. 현우에게서 전화가 걸려 오고 있었다. 학교 점심시간이었다. 진동은 멈춤과 동시에 다시 시작됐다. 영지의 심장이 가쁘게 뛰었다. 진동 때문에 전화가 침대에서 바닥으로 떨어졌다. 영지는 심호흡을 했다. 전화가 더 오진 않아서 조심스레 손을 뻗는데 또 진동이 울렸다. 영지는 숨을 헉, 삼켰다. 메시지가 와 있었다.

― 야, 나도 조퇴했다. 전화 받아라. 안 받으면 진짜 죽을 거다.

사진과 함께 온 메시지였다. 메시지 창을 닫고 확인해 보니 부재중 전화는 62통이었다. 영지는 전화기의 전원을 껐다. 답을 하면, 어떤 반응이든 해 버리면, 모든 일이 다시 시작될 것 같아서였다. 영지는 살고 싶었다. 죽고 싶지 않았다.

영지는 일주일 동안 결석했다. 열이 38도를 넘은 데다 생리통까지 겹쳐 배가 쥐어짜듯이 아팠다. 학교에 돌아온 영지는 죽지도 다치지도 않은 현우를 보았다. 현우는 흠집 하나 없이 잘 지내고 있었다. 아무 일도 일어나지 않아서 정말 다행이라고 생각하는 영지의 마음 한편에는 분노가 일었다. 친구들이 걱정하며 다가왔고, 그게 고마웠는데 어떤 말도 할 수가 없었다. 명치에 차가운 불꽃이 일렁이는 기분으로 아이들의 말투와 표정을 살폈다. 다른 뜻이 있는 게 아닐까? 아이들과 자신의 사이에 뚫리지 않을 벽이 생긴 것 같았다. 영지는 주먹을 꼭 쥐었다. 이대로 두면 안 돼. 무슨 말이든 해야 해. 그게 오해의 껍데기를 뒤집어쓰게 될 말이더라도. 그래야 이 아이들을 믿을 수 있어. 영지가 힘겹게 입을 떼려는 순간, 현우가 왔다.

"보고 싶었어."

영지의 손을 잡아 자신의 이마에 대며 장난스럽게 말했다. 친구들은 웃으며 자리를 비켜 주었다. 영지 곁을 지킬 주인공이 등장하기라도 한 것처럼. 영지는 그대로 손을 뺏긴 채 가만히 있었다. 아, 우리 아직 사귀는 거구나. 애들이 그렇게 알고 있구나.

방과 후에는 담임 선생님이 영지를 불렀다. 몸이 어떤지 묻고 빠진 수업 내용은 어떻게 보충하면 되는지 알려 주었다. 영지는 짧게 대답하거나 고개를 끄덕였다. 필요한 말들이 끝난 다음에 선생님은 물끄러미 영지를 봤다.

"혹시 선생님이 더 알아야 할 다른 일이 있니?"

영지는 고개를 들어 선생님의 얼굴을 봤다. 고민이 되었다. 말해도 될까? 선생님은 어떤 사람이었지? 나를 도와줄까? 영지가 생각에 잠긴 사이 선생님이 말을 덧붙였다.

"현우랑 싸웠니?"

싸웠냐고. 이게 싸운 건가. 영지는 망설였다. 선생님은 싱긋 웃었다.

"맞구만. 사랑싸움도 하고 다 컸네."

별일 없다고, 영지는 작은 목소리로 말한 다음 인사를 하고 교무실을 떠났다.

영지는 말을 할 용기와 미래를 상상할 힘을 잃었다. 드러내고 괴롭히는 사람은 없었지만 모두가 괴롭힐 준비가 되어 있는 것 같았다. 현우가 잘 지내는 걸 보면 그런 기분이 강해졌다. 영지가 점심시간마다 도서실에 갔던 건 그즈음이었다. 현우와의 이야기가 시작되었던 자리, 어두운 구석에 간이 의자를 놓고 앉아 반대편 벽의 창문을 봤다. 그곳에서 시작된 모든 일들을 지우고 싶은 마음, 하지만 보이는 건 눈이 부시게 쏟아지는, 그날 그 순간을 닮은 환한 햇빛이었다. 영지는 입안을 찌르는 듯한 말을 삼키며 세계에서 자신이 지워지길 기도했다.

"너무 어둡지 않니?"

사서 선생님이 물었을 때, 괜찮다고 말하고 싶었지만 역시 입이 열리지 않았다. 억지 미소라도 지어 보려 했는데 눈물이 먼저 쏟아졌다. 교실로 돌아가니 책상 위에 바나나우유가 놓여 있었다. 내일부턴 같이 밥 먹자. 현우가 쓴 쪽지와 함께였다. 영지는 마음속으로 밝아요, 여긴 너무 밝아요, 말했다.

*

　자신과 현우 사이에 있었던 일과 없었던 일을 뒤섞어 만든 수치스러운 이야기가 반 아이들 사이에 돌고 있었다는 것, 그걸 알게 되었을 때 온몸의 실핏줄이 다 터지는 기분이 들었다는 것, 먹은 게 거의 없어 엎드린 채 위액을 토했을 때 가장 먼저 달려온 사람이 현우였다는 것, 자신을 업고 보건실로 가던 사람이 현우임을 알고 정신을 놓았다는 것, 긴 꿈속에서 현우의 뒤통수를 의자로 수없이 내리쳤다는 것, 그게 꿈이어서 너무 분했다는 것. 그 이야기들을 영지는 메일에 쓰지 못했다. 일어나지 않은 일이라 믿고 싶은 마음과 누구도 이해해 주지 않을 거라는 두려움이 뒤섞였다. 쓰고 지우기를 몇 번씩 반복하는 사이에 해가 지고 있었다. 깜빡이는 커서를 눈이 시리도록 보고 있던 영지는 천천히 일어서서 창가에 섰다. 밖이 꽤 어두워지도록 비는 계속 내리는 중이었다.

　병원 담장 아래에서 비를 맞고 있던 검은 개 한 마리가 물을 털었다. 작은 몸에서 어마어마하게 많은 물이 튀어나와 사방에 퍼졌다. 그 물들이 마치 비를 밀어내는 것 같았다. 영지는 신기한 장면을 본 것처럼 주의 깊게 개를 살폈다. 잠시 보송해졌던 개는 어디론가 부지런히 달려갔다. 영지는 개가 떠난 자리를 가만히 지켜보았다. 그렇게 몇 분을 서 있던 영지는 노트북 앞으로 돌아가 엔터 키를 두 번 누르고 몇 줄을 더 적어 넣었다. 맨 마지막에는 이렇게 썼다.

나쁜 건 그 새끼니까요.

영지는 허리를 세우고 전송 버튼을 눌렀다. 수신 확인 창에 들어가 보니 사서 선생님이 메일을 열어 보았다는 표시가 떴다. 꽝. 하늘에서 천둥번개가 쳤고 병실 사람들이 깜짝 놀랐다. 티브이도 잠시 지직거렸다. 영지는 뛰는 가슴을 누르며 엄마에게 밥을 먹고 싶다고 했다. 죽이 아니라 밥, 씹을수록 단맛이 나는 쌀밥, 김이 폴폴 올라오는 하얗고 동그란 그 음식을 먹고 싶다고 말했다.

작가의 말

영지의 이야기를 떠올리고 쓰는 동안 가장 많이 들었던 노래는 벨라 포치(Bella Poarch)의 〈Build a bitch〉였습니다. 해사한 빛을 내며 돌아가는 오르골을 연상하게 하는 노래예요. 하지만 이 노래의 뮤직비디오는 우리가 아는 아름다움과는 거리가 멉니다.

이상한 인형 가게 앞에 남자들이 줄을 서 있습니다. 자기 차례가 되면 키오스크에 자신이 원하는 여성의 특성을 입력하고요. 그러면 구매 의사에 맞춘 여성 인형이 조립되어 나옵니다. 그리고 선택받지 못한 '불량품' 인형들은 불구덩이에 떨어져요. 우리의 주인공 벨라 포치는 불에 타길 거부한

첫 번째 인형입니다. 인형들의 신체가 조립되는 컨베이어 벨트를 뛰쳐나가 가게를 부수고 불을 지릅니다. 줄을 서 있던 남자들이 달아나고 자유를 얻은 인형들은 거리로 걸어 나옵니다. 비록 비틀거리지만 자기 자신의 것인, 정확하고 당당한 걸음으로요.

그리고 인형들은 입을 맞춰 이런 노랫말을 반복합니다.

"이건 여자 만들기 게임이 아니야."

이 문장을 영지가 자신의 언어로 당당하게 내뱉는 모습을 상상했습니다.
한편으로는 영지가 이런 말을 할 필요가 없는 세상도 간절히 바라게 되었고요.

누가 그러더라고요.
자유가 없는 세상에서 사랑은 태어날 수 없다고요.
분노로는 무엇도 사랑할 수 없다고요.
저는 이 말을 믿고 있습니다. 그런 마음으로 〈사랑하는 영지〉를 썼습니다.

03

솔직한 마음

박서련

2015년《실천문학》신인상에 단편 소설〈미키마우스 클럽〉이 당선되며 작품 활동을 시작했다. 2018년 제23회 한겨레문학상과 2021년 제12회 젊은작가상을 수상했다. 지은 책으로 장편 소설《체공녀 강주룡》,《마르타의 일》,《더 설리 클럽》,《마법소녀 은퇴합니다》, 소설집《호르몬이 그랬어》,《당신 엄마가 당신보다 잘하는 게임》, 짧은 소설《코믹 헤븐에 어서 오세요》, 에세이《오늘은 예쁜 걸 먹어야겠어요》등이 있다.

학교에서 자다가 악몽을 꾸면 반 아이들이 다 내 꿈을 보고 있었을 것 같은 느낌이 든다. 팔과 다리를 움찔거리며 깨는 것도 쪽팔린다. 아, 또 깼네. 몸에 힘이 영 들어가지 않아 지금 이게 현실인지 아닌지 헷갈리기도 한다. 그렇지만 당연히 현실이겠지. 악몽보다 더 기분 나쁜 현실. 고개를 들고 앉아 있는 것보다는 엎드려 있는 편이 훨씬 낫다. 누구의 시선도 정면으로 받아 내지 않아도 되니까.

교탁 기준 맨 오른쪽 줄 가장 뒷자리. 내 자리. 몸을 일으키지 않고 그대로 엎드린 채 얼굴에 붙은 수학 교과서를 조심스레 손가락으로 밀어 떼어 낸다. 긴 악몽을 꿔서 꽤 오래 잔 줄 알았는데, 그렇지도 않은가 보다. 수학 선생님의 목소리가 귀를 쿡 찌른다.

"쟤는 뭐냐? 기말고사 얼마나 남았다고. 정신 못 차리지."

선생님, 저 안 자요. 좀 전부터 깨 있었어요. 아이들이 키득키득 웃는다.

"쟤는 자도 된대요. 걸 그룹이잖아요."

"걸 그룹이고 걸 그룹 할아버지고 간에 수업 분위기 흐리지 말고 일어나라고 해."

흔들어서든 찔러서든 나를 깨워야 할 짝꿍은 그 말을 들은 체 만 체한다. 나는 속으로 하나, 둘, 카운트를 넣으면서 알아서 몸을 일으킨다. 쭉 뻗었던 팔을 당겨 팔꿈치로 책상을 디디면서 어깨를 세우고, 무슨 일 있었느냐는 듯 생긋 웃고, 나머지 한 손으로 이마를 쓸어 앞머리를 넘긴다.

네, 저 아이돌이에요. 웃는 얼굴에 침 못 뱉겠죠?

말하자면 그런 퍼포먼스.

선생님은 다시 칠판을 향해 돌아선다. 나를 쳐다보던 아이 몇몇이 토하는 흉내를 내며 눈을 돌린다. 몇몇은 책상 밑에서 손이 바빠진다. 자기들끼리 메시지를 주고받거나 어디 인터넷 커뮤니티 같은 곳에 내 행실을 전하고 있는 거겠지.

다 알아. 그러니까 아닌 척하지 마.

마지막까지 나를 쳐다보던 한 아이를 마주 본다. 책상에

양 팔꿈치를 모두 기대고 어깨를 구부정하게 만든 채로 고개
만 돌려 나를 보던 아이. 교탁 기준 가운뎃줄, 뒤에서 세 번째,
그러니까 교실 거의 한복판에 앉아 있는 아이. 내가 원따라
고 부르는 애.

도대체 왜 그러는 거야? 그렇게 쳐다볼 거면서.

내 눈빛을 읽었는지 원따는 시선을 거둔다.

참고로 원따는 원래 왕따라는 뜻으로 내가 붙인 별명이다.
내가 왕따가 되기 전까지는 걔가 왕따였기 때문이다.

당연히 소리 내서 원따라고 말해 본 적은 없다. 세상에 진
짜로 '원래' 왕따 같은 게 있을 리 없잖아.

반대로 원래부터 사랑받기를 타고난 사람들은 있는 것 같
다. 나는 그게 나인 줄 알았다.

그룹에서도 막내 포지션이었다. 못해도 중간은 가는 막내.
팬들도 제일 좋아하는 멤버와 함께 한 번씩들 더 챙겨 주고
신경 써 주는 막내.

객관적으로 우리 그룹이 썩 잘나가는 편은 아니었다. 1년
에 하나씩, 미니 앨범 세 번 내는 동안 최고 성적이 가요 순위
프로그램 20위권 정도니까. 그래도 팬 미팅을 소집할 때는
소극장 전세를 냈으니까 완전 망한 그룹이라고 하기도 애매

하긴 하다. 나는 그 정도가 좋기도 했다. 미친 듯이 뜨면 그건 그것대로 좋은 점이 있겠지만, 엄청 잘나가는 것도 못 나가는 것도 아닌 그룹에서 막내 포지션인 게 편했다.

매니지먼트 팀장님이 사랑받는 상태를 자연스럽게 받아들이는 것도 재능이라고 했다. 정말 그게 재능이라면 나는 타고난 셈이었다. 내가 사랑받는다는 게 전혀 어색하지 않았다. 운도 꽤 따라 주는 편이라고 할 수 있었다. 안티를 모을 만큼 인기가 있지는 않은데 팬 층은 나름 돈독해서 그럭저럭 팔리는 걸 그룹의 막내.

당연히 가만히 앉아서 사랑받기만을 기다리지는 않았다. 이렇게 되는 것도 거저 되는 게 아니란 얘기다. 나는 초등학생 때부터 연습생 생활을 했고, 죽자 살자 매달린 끝에 5년 만에 데뷔조에 합류했다.

중학교 3학년 봄.

데뷔 무대는 평생 잊을 수 없을 거다. 잘 모르는 사람들이 나를 향해 환호하는 기분을 처음으로 맛본 순간이니까.

그때만 해도 그 환호들이 모두 악플로 바뀔 거라고는 상상도 하지 못했으니까.

쉬는 시간.

전혀 움직이고 싶지 않지만 몸을 일으켜 원따에게 다가
간다.

"우리 매점 갈까?"

친한 척하며 말을 건다. 원따는 손이 느리다. 꿈지럭꿈지
럭 수학 교과서를 책상 서랍에 집어넣고 다음 시간 교과서를
꺼낸다.

"매점 가자, 응? 내가 살게."

양손을 허리 뒤로 모으고 어깨를 흔들며 애교를 부린다.
원따는 아주 무거운 것을 드는 것처럼 끙 하면서 일어난다.

"화장실 가야 돼."

"아, 정말? 같이 가자. 나도 갈래."

웃으며 내가 건넨 말에 원따는 도로 자리에 앉는다.

"나중에 가야겠다."

주위에서 아이들이 키득키득 웃는 소리가 들려온다.

조금 굴욕적이긴 하다. 내게도 자존심이라는 게 있으니까.
그렇지만 이만한 일로 폭발할 수는 없다. 학교 밖에서 내가
3년간 겪은 일 중에는 이보다 더한 것도 분명 있었다.

그래도 순간 눈물이 핑 도는 건 어쩔 수 없다. 한껏 눈을 크
게 떠 눈물을 말리면서, 허리를 낮추어 원따의 책상에 턱을
괸다.

"내가 매점 가서 뭐 사다 줄까? 딸기 크림빵 좋아해?"

원따는 신중한 태도로 샤프심을 샤프에 넣는다. 똑똑똑. 샤프심 나오는 소리가 인내심을 두드리는 것 같다.

"아, 눈치 있으면 좀 꺼지지. 싫다는데 계속 매달리고 난리네."

"야, 주어 조심해. 고소하시면 어떡해."

"주어 없는데?"

주위에서 몇몇 아이가 이런 말을 한다. 웃음소리가 온 교실에 퍼진다. 난 괜찮아. 주어 없다고 했으니까 나는 아니잖아. 그렇지? 나는 허리를 펴고 똑바로 일어나 원따를 보면서 생각한다. 원따는 샤프심을 고르는 척하면서 은근슬쩍 내 표정을 살피고 있다. 신기하게도 원따는 내가 눈으로 무슨 말을 하는지 이해하는 것 같다. 나도 원따가 눈으로 하는 말을 알아볼 수 있기 때문이다.

제발 네 자리로 돌아가. 나 좀 그만 괴롭혀.

하지만 나는 원따의 부탁을 들어줄 수 없다. 내게도 방법은 이것뿐이다. 나는 수업 시작을 알리는 종소리가 울릴 때까지 원따의 책상 앞에서 버티다가, 앞자리 아이에게 밀쳐지면서야 자리를 뜬다. 매번 이렇게 된다는 걸 알면서도, 이따또 올게, 같은 속없는 소리를 흘리면서.

한 달 전, 그러니까 폭로전이 벌어진 직후 처음 등교한 날이 떠오른다. 엄마 아빠를 붙잡고 학교에 가기 싫다고 떼를 썼다. 아이들이 나를 반기지 않을 거라는 예감이 있었기 때문이다. 정확히 무슨 일이 벌어질 줄은 예상하지 못했지만.

학교에 자주 가지 못했고 가도 오래 있지 못했기 때문에 완전 친한 친구는 사귈 틈도 없었지만, 그래도 매번 아이들에게 둘러싸인 채로 하루를 보냈다. 아이돌 누구랑 친해? 그 배우 실물 본 적 있어? 팬들이 선물로 뭐 사 줬다던데 사실이야? 그런 질문들이 쏟아졌고, 하나하나 웃으며 답해 주는 과정은 작은 팬 미팅이나 다름없었다. 내 한마디 한마디에 아이들은 열광했다.

나 스트리밍 맨날 해. 뮤비 조회 수 올려 주려고 새로 고침 눌러 가면서 봐. 티브이에서 너네 그룹 나오면 쟤 내 친구라고 자랑해.

고마워, 얘들아. 너희밖에 없어 정말.

아이들이 자기 공로를 내세울 때마다 나도 그렇게 답했다. 그중에 이름을 제대로 아는 애도 별로 없으면서.

사태 이후에도 똑같으리라고 기대하는 마음은 당연히 없었다. 나도 내 머리가 별로 좋지 않다는 건 알지만 그 정도로

멍청하지는 않다. 그래서 학교에 가기 싫었다. 그런데 엄마아빠는 지금 같은 때일수록 출석 일수를 잘 챙겨야 한다고 우겼다. 평생 연예인 할 것도 아니잖니? 졸업 무사히 하고 대학도 가야지.

모르는 소리. 나는 평생 연예인일 거야. 지금까지 방송 활동 한 것만으로도 대학은 어떻게든 갈 수 있을 거고, 대학에 가서는 연기 활동을 병행하다가 아예 배우로 전향할 거다. 이 사태만 어떻게든 조용히 넘긴다면 그럴 수 있다.

어쨌든 출석 일을 채워야 한다는 말은 반박하기 어려워서 꾸역꾸역 등교했다. 먹기 싫은 것이 입안에 들어왔는데, 뱉을 수가 없어서 씹지도 않고 억지로 삼키는 것 같은 기분으로.

의외로 교문에서 교실까지는 아무 일도 일어나지 않았다. 그런데 교실 뒷문을 열자마자 아이들이 마법에 걸린 것처럼 일제히 조용해졌다.

그래도 웃는 얼굴에 침 못 뱉는다는 말이 생각나서 얘들아, 안녕— 하며 웃었다. 분위기가 더 차가워졌다. 그대로 계속 서 있을 수도 없어서 웃으며 걸어가 자리에 앉았다. 태연한 척하느라 앉아서도 허리를 꼿꼿이 세운 채 웃음을 머금고 있었는데, 누가 이렇게 말했다.

솔
직
한
마
음

"미친년, 누가 가해자 아니랄까 봐 계속 쪼개네. 소름
끼쳐."

아주 조용했기 때문에 꽤 멀리서 나온 듯한 그 작은 목소리
가 내 귀에도 똑똑히 들렸다.

우리 그룹의 메인 보컬 언니는 데뷔조 결정 직전에 합류해
서 연습생 생활이 가장 짧다. 대외적으로는 6개월이라고 하
지만 실제로는 3개월 정도. 그러니까 데뷔곡이 나올 즈음 들
어온 셈이다.

매니지먼트 팀장님은 새 멤버를 데려온 이유가 딱히 기존
멤버들이 노래를 못해서는 아니라고 설명했다. 데뷔곡이니
만큼 깊은 인상을 남겨야 하니까 고음이 강력한 곡을 샀는데,
그 어려운 곡을 충분히 소화할 능력이 있는 사람이 필요했다
고. 좀 더 좋게 들리지만 그냥 같은 말이라고 생각한다. 메보
언니 빼고 다 노래 실력 별로인 거 사실이니까.

실제로 메보 언니가 들어오기 전에 파트 나눠서 데뷔곡
연습 녹음을 해 봤는데 보컬 소화력이 다 너무 절망적이긴
했다.

새로운 메인 보컬 등장에 기존 메인 보컬 겸 센터 포지션이
었던 언니는 한동안 엄청나게 불안해했다. 5인조니까 자기

를 뺄 거라고. 우리는 그럴 리가 없다고 언니를 위로했다. 어떻게 센터를 빼고 데뷔하겠느냐고. 새로운 메보가 '솔직히' 노래를 잘하는 것도 사실이지만 '솔직히' 언니가 제일 예쁘니까 센터인 거 아니냐고. 그렇게 위로하면서도 언니의 말처럼 누구 한 사람을 뺀다면 그게 자기가 될까 봐 솔직히 불안해하는 마음이 다들 있었다. 나만 빼고. 새 메보가 나보다 세 살이나 많으니까 적어도 막내 포지션은 안전하겠지, 했다.

결과적으로 누가 빠지는 일은 일어나지 않았다. 우리 그룹은 6인조로 데뷔했다. 예술고등학교에서 뮤지컬을 전공하고 있던 메인 보컬 언니는 짧은 연습생 생활이 믿기지 않을 만큼 빠르게 적응했다. 안무 동선을 완벽하게 파악했고 데려온 보람이 충분하게 고음 파트를 소화해 냈다.

언니랑 친했느냐고 하면, 크게 끄덕이지는 못하겠지만, 적어도 같은 그룹 멤버여서 든든했다고는 할 수 있다.

그게 사실이니까.

그런 메보 언니가 그룹 내 왕따 폭로 글을 올렸다는 소식을 들었을 때는 솔직히 코웃음이 나왔다. 우리 그룹에 무슨 왕따가 있었다고 그래. 나는 5년이지만 서브 보컬 언니는 연습생 생활만 7년을 했다. 각자 연차 차이는 조금씩 있지만 적어도 3년 정도는 다들 한솥밥 먹으며 연습한 사이여서 모두 각

별하고 돈독했다. 그런 우리 그룹에 왕따라니 말이 되는 소
리를 해야지. 메보 언니가 말하는 왕따란 언니 자신이라는
걸 알게 될 때까지는 그런 생각뿐이었다.

점심시간.

나는 급식을 먹지 않는다. 아무리 활동이 없는 시기라지만
관리는 꾸준히 해야 하기 때문이다. 방울토마토와 고구마와
렌틸콩으로 구성된 도시락을 책상에 꺼내 두고 아이들이 교
실에서 전부 나갈 때까지 버틴다. 반 아이들 중 절반 정도는
선생님보다도 먼저 교실을 뛰쳐나가지만 나머지는 친구들
끼리 모여서 가려고 서로를 기다려 준다.

나는 늘 아이들이 어떻게 무리 지어 나가는지를 끝까지 지
켜본다. 원따는 언제나처럼 아이들 틈에 섞이지 못하고 맨
마지막으로 교실을 나선다. 나는 원따가 나가기 직전까지 나
를 의식하는 것을 안다. 그 때문에 급식을 신청할까 진지하
게 고민하기도 했다. 결국 그러지 않은 이유는 급식실에 가
면 내가 새로운 왕따, 우리 반만의 왕따가 아니라 전따, 우리
학교만의 전따가 아니라 전국구 왕따라는 사실이 아주 적나
라해질 것 같아서다. 고민 끝에 급식을 신청했더니 원따가
나랑 같이 밥 먹기를 거부한다면 식판을 든 나는 어디로 가야

좋을지 헤매게 될 거고 전교생이 나를 보며 키득키득 웃을 테니까. 더 운이 나쁘면, 그런 상태로 찍힌 사진이 길이길이 남을 테니까.

그게 너무 이상하게 느껴진다. 원따는 왜 나를 싫어할까. 이제는 왕따가 아니라고 해도 어차피 여전히 친구가 없으면서, 왜 나와 친해지기를 거부하는 걸까.

사람들 말처럼 내가 가해자라서?

그래도 가해자의 도움을 받을 만큼 궁하지는 않다는 건가.

메보 언니는 데뷔 직전 비공개 오디션으로 그룹에 합류한 자기가 공공연히 '낙하산'이라 불렸다고 했다. 나도 언니가 그렇게 불리는 걸 두어 번 들은 적 있다. 그렇지만 그건 그야말로 데뷔가 초읽기였을 때뿐이었다. 그래도 원년 멤버들 입장에선 언니가 굴러온 돌이나 마찬가지니까 감정이 없을 수는 없잖아. 그걸 가지고 왕따를 당했다고 하면 어떡해. 애초에 그런 말이 나온 건 아주 초기 잠깐뿐이고, 나름 성공적으로 치른 데뷔 무대 이후에는 쏙 들어갔다.

또, 메보 언니는 센터 언니한테서 나대지 말라는 경고를 여러 차례 받았다고 했다. 솔직히 나는 센터 언니 입장에 감정 이입 하기가 더 쉬웠다. 센터 언니가 연습생 생활도 길고 평소 자기 관리도 더 열심히 해 온 편이니까. 그런데도 메보 언니가 더 인기가 많은 건 회사 사람들 모두에게 여러모로 미스터리였다.

예능 프로그램 단독 출연 섭외 횟수도 메보 언니가 압도적으로 많았다. 메보 언니의 개인기가 좋은 반응을 얻은 덕에 우리 그룹이 다 같이 섭외를 받은 적도 꽤 있어서 그건 고맙게 생각했다. 그때 멤버들이 개인기를 선보이라고 호응해 준 것을 메보 언니는 강요와 압박이라고 표현했다. 자기가 망가지는 걸 보며 다들 즐거워했다고 썼다.

언니의 폭로문에 내가 아는 이야기만 있는 것은 아니었다. 잘 몰랐던 사정이 언니의 글 덕분에 분명해진 부분도 꽤 있었다. 무대 의상을 망가뜨려서 콘셉트에 맞지 않는 옷을 입고 무대에 오르게 한 것, 가방에 다른 멤버 소지품을 넣어 놓고 손버릇 나쁜 사람으로 몰아간 것, 어느 멤버의 생일날 케이크에 초를 꽂으면서 빨리 라이터 꺼내 보라고 담배 피우지 않느냐고 조롱한 것 등등.

솔직히 불쌍하다는 생각이 들긴 했다. 캐스팅이 됐고 그냥 열심히 했고 사랑도 꽤 받았는데 같은 그룹 멤버들한테는 별로 인정을 못 받았다는 게. 나는 전혀 모르던 일들이지만 괴롭힘도 꾸준히 받아 왔다는 게. 게다가 언니는 데뷔할 때 지금의 나와 같은 열여덟 살이었다. 상처받기 참 쉬운 나이.

그런데 햇수로 3년 활동하는 동안 꾸준히 우울증 약, 항불안제 등을 먹으면서 그만 살고 싶은 충동과 싸워 왔다고, 이제는 정말 그만두고 싶다고 하면 우리가 뭐가 돼. 우리가 살인마야? 아니, 우리까지 갈 것도 없이, 나는 뭐가 되느냐고. 아무것도 모르는 막내였는데 나까지 덩달아 방관자, 가해자가 됐잖아.

모든 인터넷 언론사가 메보 언니의 SNS 글을 받아 적어 기사로 냈고 우리와 관련된 모든 콘텐츠가 악플로 도배되었다. 우리의 데뷔 영상, 센터 언니의 브이로그 영상, 폭로문에 나온 예능 출연 영상. 소속사에서는 부랴부랴 해명문과 멤버들 이름으로 된 사과문을 마련해 올렸지만 아무도 눈여겨봐 주지 않았다. 사과문도 제대로 못 쓰는 회사라는 욕만 먹었다.

팬은 꽤 있지만 안티는 없었던 우리 그룹은 그렇게 망했다.

안티가 생겨서가 아니라, 언니를 따돌린 죄로 우리야말로 국민 왕따가 되어서.

얼마 전에는 모르는 번호로 오픈 채팅방 링크를 받았다.

2학년 3반, 그러니까 우리 반 단톡방 링크라고 적혀 있었다. 나는 한 번도 반 단톡방에 들어가 본 적이 없었다. 연습생 때부터 내내 학교 측에 양해를 구하고 출석부에 내 전화번호를 기재하지 않기로 해서일 것이다. 그래서 전혀 의심을 못 했다. 오히려 드디어 아이들이 날 받아 주기로 한 줄 알고 반가워하며 링크를 클릭했다.

들어가 보니 정원이 99명인 방에서 사람들이 모두 나를 욕하고 있었다. 가요나 예능 영상에서 굴욕적으로 나온 부분을 캡처해 올리면서 돼지라고, 성괴라고, 방관자라고, 가해자라고 욕했다.

나가기 버튼을 누르고 싶었지만 손이 떨려서 그러지 못했다. 고소 각이 나오는 메시지를 일부라도 캡처해야겠다는 생각이 들었지만 새로운 메시지가 너무 많이 쏟아져서 스크롤이 미친 듯한 속도로 올라갔다.

고소할 거예요.

당신들 고소할 거라고요.

메시지를 다 읽지도 못해서 답장도 아니고 뭣도 아닌 메시지를 겨우 보냈다. 몇 명인가 나가고 채팅 속도가 느려지는가 싶더니 또 다른 사람이 들어와서 정원이 다 찼다. 그러니까, 똑같았다.

회사에 가져가서 매니지먼트 팀장님께 보여 줬더니 팀장님이 나를 대신해 나가기 버튼을 눌러 줬다.

뭐 하시는 거예요? 저장해서 고소해야죠.

회사에서는 그 단톡방에 있던 사람들에게 법적 대응을 할 수 없다고 했다. 참가자가 백 명 가까이 되니 전부 다 우리 반 아이들은 아닐 테지만 그중 정말 우리 반 아이가 포함되어 있다면 결코 좋은 모양이 아닐 거라고 했다.

그냥 잊어버리라고 팀장님은 말했다..

잊어버릴 수 있겠느냐고는 묻지 않았다.

오랜만에 학교에 가면서 솔직히 이런 기대도 조금은, 아주 조금은 품고 있었다. 그래도 어쩌면 한두 명쯤은, 도대체 정확히 무슨 일이 있었던 건지 물어봐 줄지도 모른다는 기대. 어차피 내가 뭔가 털어놓자마자 아 진짜? 하면서 인터넷에 바로 올려 버릴 게 뻔하니까, 죄다 말해 줄 생각은 애초부터 없었지만, 누가 물어만 봐 주면 그거 다 오해라고 하면서 우는 모습 정도는 보여 줄 생각이었다. 딱 한 명만 내게 말을 걸어 준다면 나는 그 앞에서 울어 줄 수 있고, 울고 나면 분위기가 다시 바뀔 거라고. 적어도 우리 반만은. 우리 학교만은. 우리 동네만은.

당연히 어림도 없는 생각이었다. 우리 그룹은 왕따 가해자 걸 그룹이 되었고 나 또한 가해자가 되었는데, 아무도 내게는 어떻게 된 일인지를 물어봐 주지 않았다. 오히려 모두, 내 말을 들어 주지 않는 게 정의라고 믿는 것 같았다.

　다음으로 떠올린 것이 원따와 친해지는 작전이었다.

　활동 기간 동안 띄엄띄엄 출석하면서 지켜본 결과 원따는 계속해서 왕따였다. 초등학교 4학년인가 5학년 때부터 쭉 왕따였다는 얘기를 들은 기억이 있었다. 옷을 물려 입듯이, 공을 패스하듯이, 이전 학년에서 다음 학년으로 걔를 왕따로 물려줬다. 내가 연습생을 시작한 시기 즈음부터 내내.

　왜였을까?

　옷을 잘 못 입고 다녔나? 아니면 공주병이었나? 머리가 너무 나빴나? 오히려 너무 좋아서 재수가 없었나? 반 대항 시합에서 실수를 저질렀나? 학기 초에 친구를 못 사귀었나? 이간질쟁이였나? 눈치가 없었나? 욕심이 많았나?

　먼저 누굴 왕따시키다가 도리어 왕따가 됐나?

　생각해 본 이유 중 무엇도 그렇게 오랫동안 따돌림을 당해야 할 만큼 그럴듯하지는 않았다.

　그러니까 원따도 그만큼 간절히 새 친구를 사귀고 싶을 거라고 생각했다. 원따랑 친하게 지내는 내 모습을 보면 다른 아이들도 내가 왕따 가해자 같은 건 아니라는 걸 알아줄 거라고 믿었다.

아이들이 바보가 아니라는 걸 나도 안다.

원따도 바보는 아니다.

나는, 나도 바보가 아니라고 하고 싶지만, 그 애들을 다 합친 것만큼 똑똑할 수는 없다. 그래서 이것 말고는 방법이 떠오르지 않으니까 계속하는 거다. 쉬는 시간마다 원따에게 다가가서 친한 척하는 거. 집에 가는 길에 따라가는 거. 같이 가는 거라고 하고 싶지만 방향이 금방 갈라지는 데다 대화도 나누지 않기 때문에 같이 가는 건 좀 아닌 것 같다.

내가 걔를 따라가려고 얼마나 무리하는지 걔가 안다면 나를 불쌍하게 여겨 줄까?

사태 이후 학교에 간 첫날에는 엄마 차를 타고 하교했다. 기자들이 하굣길에 말을 걸 수도 있으니까. 그다음 날부터는 엄마한테 데리러 오지 말라고 했다. 중요한 일이니까 제발 내 부탁 들어 달라고. 우리 집이 학교에서 엎어지면 코 닿을 데 있으니까 어려운 일도 아니지 않느냐고.

걱정대로 기자들이 말을 걸기도 했다. 이틀 정도? 다른 언니한테도 기자들이 붙었는지 연락해 보았는데 언니들은 아예 집 밖으로 나가지도 않아서 모른다고 했다. 좋겠다. 나도 학교 안 가도 되면 좋겠어.

기자들이 별로 귀찮게 굴지 않는 게 묘하게 속상하기도 했
다. 나는 그렇게 중요한 멤버가 아니라는 뜻일 테니까. 어쩌
면 메보 언니의 폭로 글에서 별로 비중 있게 등장하지 않아서
딱히 궁금한 게 없었을지도 모른다. 아니면 소속사에서 나머
지를 다 커버하고 있거나. 요새는 워낙 인터넷 언론의 시대
여서 직접 취재는 별로 안 하는지도 모르고.

대신 메보 언니의 팬들이 찾아오기 시작했다. 누군가의 팬
을 알아보는 건 별로 어렵지 않다. 옷이나 모자나 가방, 액세
서리 등에서 자기가 좋아하는 멤버 관련 굿즈로 티를 내니까.
메보 언니의 팬들이 나에게 무슨 짓을 하지는 않았다. 적어
도 아직까지는 그렇다. 언니의 팬들은 그저 내가 집에 가는
길을 묵묵히 지켜본다. 왜 그랬어? 언니가 당할 때 너는 뭐 했
어? 지금 기분이 어때? 그렇게 묻는 듯이.

그게 무섭다.

하교 시간.

수업이 끝날 때마다 드디어 오늘도 끝났다, 하는 생각이 든
다. 매일 이렇게 작은 끝이 반복되는데, 그 끝의 반복에도 과
연 끝이 있을까 궁금하다.

나는 마치 아이들이 나를 향해 인사를 건네준 것처럼 웃는다. 이런 식으로 웃음 지으려고 얼마나 오래 연습했는지 모른다.

원따는 점심시간에 그러듯이 아주 늦게야 자리에서 일어난다. 나는 가방을 휘두르듯 넘겨 뒤로 메고 종종걸음으로 원따를 따라나선다. 원따는 걸음이 워낙 느려서, 속도로는 나를 따돌리지 못한다.

뭔가 건넬 말이 없을까. 교문을 나서기까지 나는 원따와 나란히 걸을 뿐 아무 말도 하지 못한다. 하굣길에는 매점을 가잘 수도 없고 나는 애초에 군것질을 좋아하지도 않으니까. 나는 왜 머리가 별로 안 좋을까. 왜 건넬 말 한마디가 떠오르지 않을까.

"네 생각 다 들여다보이는 거 알아?"

원따가 내게 먼저 말을 거는 것은 처음이어서 정말이지 처음에는 내게 하는 말이 아닌 줄 알았다.

"무슨 생각?"

잠시 멈춰 있다 종종걸음으로 따라가자 원따는 한숨을 푹 내쉰다.

"나한테 잘해 주면 반 애들이 너 다시 봐 줄 거라고 생각하잖아."

정곡을 찔려서 할 말이 없다. 그게 웃긴다. 원따랑 얘기할
기회만 생기면 나한테 푹 빠지게 만들 자신이 있었는데, 막상
대화를 시작하니까 할 말이 없는 게.

"그럼 안 돼?"

한참 만에 내가 찾은 대답은 겨우 이 정도다.

"내가 너랑 친하게 지내면 너한테도 좋은 거 아니야?"

왜냐하면 너는 원따니까. 원래 왕따였으니까. 이 말이 앞
니까지 달려 나왔다가 겨우 들어간다. 그래도 그건 예의가
아니라는 것쯤은 나도 아니까. 원따가 걸음을 멈추고 나를
똑바로 쳐다본다.

"나 이용하려는 거잖아."

그러면 안 돼? 서로 윈윈인데 왜 안 돼?

"원하는 건 뭐든 줄게. 그냥 학교에서 나랑 잘 지내는 척만
해 줘. 뭐 필요해? 아이돌 소개해 줄까? 나 돈도 좀 있어. 엄청
많진 않지만 갖고 싶은 거 사 줄 정도는 돼. 아니다. 혹시 연
예인 되고 싶어? 우리 회사 들어오고 싶으면 내가 잘 말해 줄
수도 있어."

나는 원따가 하나에라도 혹하길 바라면서 벅찬 조건들을
줄줄 늘어놓는다. 좋다고 말해. 단 한마디만 해. 그러면 내가
부른 조건들을 모두 요구해도 다 들어줄 수 있다. 원따가 고

개만 한번 끄덕여 줘도 그럴 수 있다.

"아니라고 해야지."

원따는 그렇게 말하고 한동안 아무 말 없이 나를 쳐다만 본다. 나도 말문이 턱 막힌다.

"나도 너한테 떳떳하진 않아."

한참 만에 다시 입을 연 원따는 휴대 전화를 들더니 어딘가로 전화를 건다.

울리는 건 내 휴대 전화다.

학교에서 자면 불편해서 그런지 악몽을 꾸기가 쉽다. 나는 자주 같은 꿈을 꾼다. 사람들이 다 나를 욕하고 미워한다. 그 채팅방에서 그랬듯이. 메보 언니의 글을 받아 적은 인터넷 기사 댓글란마다 그렇듯이. 거기까지만 나오면 악몽이 아니다. 그건 그냥 현실과 딱히 차이도 없으니까.

악몽이 되는 건 그다음부터다.

갑자기 사람들이 태도를 바꾸어 나를 사랑한다고 말한다. 그동안 미안했다고, 사실은 다 오해라는 걸 알고 있었다고 한다. 많이 힘들었느냐고 묻는다.

그런데 나는 그중 무엇도 진심이 아니라는 걸 안다. 내 손을 잡으려고, 나를 껴안으려고 다가오는 사람들 앞에서 나는 뻣뻣하게 굳어 버린다.

그래서 이 꿈은 악몽이다.

사랑받는 상태를 자연스럽게 여기는 내 재능이 사라졌다
는 걸 알려 주는 꿈.

"내 번호 어떻게 알아?"

"단체 채팅방에 너 초대한 게 나야."

원따는 교무실에 들어가 내 휴대 전화 번호를 알아낸 방법
을 차근차근 설명했지만 내 귀에는 잘 들어오지 않는다. 그
런 건 별로 중요하지도 않다. 하고 싶은 말만 입안에 가득 차
소용돌이치는 것 같다.

왜 그랬어?

원래 나를 싫어했어? 메보 언니 팬이었어? 애들이 시켰어?
그렇게 하면 애들이 너랑 놀아 준다고 했어?

많은 것을 묻고 싶어지지만 정작 입에서 나오는 건 엉뚱한
말이다.

"그럼 이제 정말 나랑 같이 다닐 수 있겠네? 나한테 빚진
거 있으니까."

정확히 어떻게 된 일인지 모르지만 내가 원따를 울린 것
같다.

원따가 우는 건 처음 본다.

내가 괜찮을 때는 원따를 보면서 나라면 학교에 안 나오든가 매일 울 텐데 대단하다,라고 생각했는데. 그렇게 따지면 나도 대단한 셈이지만 나야 무슨 일이 있어도 미소만 지으려고 오랫동안 노력했으니까 별거 아닌 것 같기도 하다.

아무튼 내가 한 말 때문에 원따가 울고 있다. 원따는 눈물을 닦으며 가라앉은 목소리로 말한다.

"그런 식으로 생각하면 안 돼."

어떤 식으로? 내가 뭘 잘못했는데?

"이유가 있어서 사람을 사귀면 따돌리는 데에도 이유가 있다고 말할 수 있게 돼."

원따의 걸음이 갑자기 빨라진다. 곰곰이 원따의 말에 대해 생각하다가 나도 걔를 따라가지만, 곧 갈림길이다.

나는 왼편으로 멀어지는 원따의 뒷모습을 멍하니 바라보다가 내 갈 길로 걷는다. 휴대 전화에 부재중 전화로 남은 원따의 번호를 한참 동안 들여다보면서.

이게 원따의 번호라면 저장해 두고 가끔 메시지를 보내도 괜찮겠지.

그러다 나는 단톡방 링크가 담긴, 어쩌면 이 사람만이라도 고소할 수 있지 않을까 싶어 남겨 뒀던 메시지를 열어 본다. 왕따가 한 말은 진짜였다. 역시 같은 번호로 보내온 것이다.

전화를 걸고 싶다.

화를 내고 싶기도 하고 너를 이용하려고 해서 미안하다고 하고 싶기도 하고 나도 너 같은 거 필요 없다고 소리를 지르고 싶기도 하다. 당장은 걔가 세상에서 제일 밉지만 나한테 걔가 간절히 필요하기도 하니까. 왕따가 전화를 받아만 준다면, 내게 전화를 걸 용기만 있다면, 그런 말들도 다 할 수 있을 것이다.

어쨌든 번호는 있다.

그런데, 번호를 저장해야 하는데, 걔 이름이 원래는 뭐지.

처음으로 개의 진짜 이름이 궁금해진다. 원래부터 왕따가 아니었던 개의 이름. 제일 먼저 물어봤어야 하는 건 바로 그거였다는 걸 나는 아주 늦게야 깨닫는다.

작가의 말

10대 시절 자주 하던 생각 중 하나는, 다른 아이들은 사람과 눈을 맞추는 게 어떻게 그리도 자연스러운가라는 것. 내게는 글을 읽는 것보다 사람의 눈을 보는 게 더 집중력과 긴장을 요하는 일이어서. 나를 그렇게 만든 계기가 있었을까? 기억나는 것은 없다. 처음부터 그런 사람도 있다. 그게 나일 수도 있고, 그건 크게 잘못된 일이 아니다.

단언할 수 있는 단 한 가지 사실은 어떤 일에 대해서도 단언해서는 안 된다는 것이다.

그럼에도 불구하고, 나아질 수 있다.

04

A 군의
인생 대미지 보고서

김멜라

2014년 자음과모음 신인문학상에 단편 소설 〈홍이〉가 당선
되며 작품 활동을 시작했다. 2021년 제12회 젊은작가상. 제
11회 문지문학상. 2022년 제13회 젊은작가상을 수상했다.
지은 책으로 소설집《적어도 두 번》등이 있다.

볼케이노 하데스 대미지 92

— 체크 포인트: 옥상 주시 시간

"차라리 패라. 셋이서 날 밟아!"

A 군의 샤우팅.

있는 힘껏 소리쳤지만, A 군의 목소리를 들은 사람은 없었다. 아파트 화단의 플라타너스에서는 '죽어라, 죽어라' 하고 주문을 걸듯 매미가 울어댔다. 그 옆으로 곡예 운전을 하듯 배달 오토바이가 아달달달 배기 소음을 내며 지나갔다. 샤우팅을 내지른 A 군은 부어오른 손등을 움켜쥐며 옥상을 올려다봤다.

3

4

5

·

·

·

약 15초 동안 옥상을 보던 A 군은 휴대 전화 화면에 ☆을 그려 잠금을 풀었다. 써리원에게 보낸 메시지는 여전히 글자 옆에 작은 1이 지워지지 않았다.

"잘났다, 아디오스."

A 군은 다시 501동 옥상을 올려다보았다. 201동에 사는 A 군이 경비 아저씨의 눈을 피해 다른 동 아파트 입구를 어슬렁거리는 이유가 무엇일까.

수요일 오후 12시 20분, 얼마 뒤면 점심시간이 끝나고 5교시가 시작할 시간이었다.

＊

△△중학교 2학년 2반, 일명 '편의점 4인분'이라 불리는 네 명의 중학생은 그날도 ○○ 수학 학원 앞 편의점으로 갔다.

네 친구는 사이좋게 망한 일차 함수 쪽지 시험에 좌절하지 않기 위해 각자의 식량으로 위산 분출을 유도하며 멘털을 관리했다.

불닭은 불닭볶음면을, 반숙이는 반숙 달걀과 단백질 음료를 먹었고, 누텔라는 악마의 단맛이라 불리는 초콜릿 잼을 과자 스틱에 찍어 먹었다. 넷 중에 유일하게 엄카를 들고 다니는 써리원은 편의점 옆 아이스크림 가게에서 싱글킹 아이스크림을 샀다. 다 같이 장맛비를 퍼부은 시험지임에도 그 젖은 기분을 말리는 것에는 빈부 격차를 느끼며, 네 친구는 편의점 앞 테이블 의자에 앉아 학원으로 가는 건널목에 거대한 싱크홀이 생기는 상상을 했다.

그때 불닭이 써리원에게 물었다.

"맛있냐?"

중도 비만에서 경도 비만으로 체중 감량을 소망하는 불닭이 아이스크림을 핥아 먹는 써리원을 부러운 듯 보았다.

"궁금하면 사 드세요."

코밑에 거무스름한 수염이 난 써리원이 퉁명스럽게 말했다. 점점 오랑우탄처럼 털북숭이가 되어 가는 외모와 다르게 알록달록한 행성을 닮은 아이스크림을 좋아하는 써리원은 밍밍한 단백질 음료를 마시는 반숙이에게 물었다.

"맛있냐?"

"187."

낮은음자리 '도도도'를 치는 듯한 목소리로 반숙이가 말했다. 187센티미터는 반숙이가 원하는 키였다. 반숙이는 어려서부터 키 성장 영양제를 챙겨 먹고 간식 시간마다 단백질 음료를 마셨지만, 여전히 편의점 4인분 중 키가 제일 작았다.

"그러니까 맛있냐고."

"미래를 위해 먹는 거지."

"현재는 똥 맛인데?"

"똥 먹어 봤냐?"

"그럼 그게 무슨 맛인데?"

"궁금하면 사 드세요."

반숙이의 말에 컵라면을 먹고 있던 불닭이 웃었다. 입 주변에 붉은 고추기름이 묻은 불닭이 같이 웃자는 듯 옆에 앉은 누텔라의 어깨를 쳤다.

"이 엿당 포도당아, 놀랐잖아!"

누텔라가 불닭을 향해 소리쳤다.

"뭐지, 이 반응은?"

불닭이 중지로 안경을 들어 올리며 말했다.

"방금 나무에 외계인 있었는데 너 때문에 놓쳤잖아."

"뭔 소리냐."

마주 앉은 써리원이 콘으로 흘러내리는 아이스크림을 핥으려다 누텔라를 보며 물었다.

"나무에 번데기 같은 게 매달려 있었는데 거기서 뭐가 꿈틀거리며 나오더니 형광 날개가 펼쳐지면서……."

누텔라가 몸을 구부려 껍질을 뚫고 나오는 곤충을 흉내 내며 말했다.

"매미 아냐?"

"아니다, 매미."

"누가 봐도 매미인데?"

"매미 날개가 형광인 거 봤냐?"

누텔라가 말하자 써리원이 둥글게 손을 말아 입에 대고 '훅' 하는 소리를 냈다. 독침 쏘기였다. 독 묻은 침을 쏘듯 '훅' 하고 소리 내는 것은 편의점 4인분이 상대의 신경계를 일시 마비시키고 싶을 때 하는 행동이었다.

훅, 훅훅.

누텔라와 써리원이 서로를 향해 독침을 쏘아댔다. 둘 사이에 앉은 불닭은 흡사 라면 먹는 ASMR을 녹음하듯 남은 면발을 흡입했다. 그때 테이블 위에 놓인 달걀 껍데기를 만지작거리던 반숙이가 말했다.

"나도 봤어. 날개랑 엉덩이가 반짝이는 거."

"맞아, 그거!"

누텔라가 반숙이의 어깨에 손을 올리며 말했다.

"똥파리야."

"……뭐?"

"댓츠 어 덩 플라이, 오케이?"

반숙이가 빈 음료 팩을 구기며 자리에서 일어섰다. 나머지 멤버들도 키득거리며 가방을 챙겨 일어났다. 누텔라는 마치 중간고사 OMR 카드를 하나씩 밀려 쓴 사람처럼 얼빠진 얼굴로 나무를 올려다보았다.

미스테이크 에리스 대미지 49
— 핵심 정리: 슬픔의 공감력

편의점 테이블에 둘러앉아 흡수한 영양소가 대장을 통해 방출될 준비를 하고 있을 때쯤, 편의점 4인분이 모여 있는 단톡방에 메시지가 떴다.

— 써리원: 엄마 다시 입원. 이러다 진짜 엄마 어떻게 되면 어떡하지?

써리원이 우는 이모티콘과 함께 덜덜 떠는 이모티콘을 보냈다. 써리원네 엄마가 써리원이 초등학교 4학년 때 위암 수술을 받았고, 최근 다른 부위에 암이 재발해 또 수술했다는 건 편의점 친구들도 아는 사실이었다. 그러나 수술은 무사히 마쳤고, 써리원은 엄마가 자기한테 미안해하는 덕분에 마음껏 엄카 찬스를 쓸 수 있다고 자랑했다. 그러니 써리원의 갑작스러운 두려움 호소는 다른 친구들에게 낯선 것이었다.

'이러다 진짜 엄마 돌아가시면 어떡하지?'가 아니라 '어떻게 되면 어떡하지?'라고 말한 것으로 보아 써리원은 죽음이란 단어를 입 밖에 내는 것조차 무서워하는 것 같았다.

— 불닭: 괜찮아, 아무 일 없을 거야.

— 반숙이: 엄마 괜찮으실 거야! 너무 걱정하지 마.

두 친구가 나란히 위로를 건네자 누텔라는 고민에 들어갔다. 중학교에 들어가 알게 된 불닭과 반숙이와 달리 써리원과 누텔라는 초등학교 때부터 같은 학원에 다니며 친하게 지냈다. 피아노 건반으로 따지면 중간에 검은건반이 없는 '미파'와 '시도'처럼 가까운 사이라고 할까. 누텔라는 더 묵직한 위로를 해 주고 싶었다.

— 누텔라 : 써리원 엄마의 명복을 빕니다.

만족스러운 단어를 찾아낸 누텔라는 단톡방 창을 보며 미소지었다. 그러자 불닭이 물었다.

— 불닭: 왓츠 어 명복?

— 누텔라: 모르면 서칭.

잠시 뒤 불닭이 '헐'을 두 줄이나 쓰며 누텔라에게 욕을 퍼부었다.

— 불닭: (욕 검열 삭제) 너 지금 써리원 엄마가 죽기를 바란다는 거냐?

— 반숙이: (욕 검열 삭제) 와 진짜 와.

예기치 못한 반응에 누텔라는 설마 하는 마음으로 사전을 검색했다.

명복: 죽은 뒤 저승에서 받는 복.

예문) 삼가 고인의 명복을 빕니다.

누텔라는 심장이 지구의 심층 맨틀을 뚫고 내핵까지 추락하는 듯했다. 그 와중에도 자기가 무슨 말을 잘못한 건지 쉴 새 없이 연관 검색어를 클릭해 '쾌유'란 말을 찾아냈다.

— 누텔라: 취소, 취소. 쾌유를 빕니다. 이거였어.

누텔라는 어떻게든 상황을 바로잡으려 했으나 이미 때는 늦은 듯했다.

─ 반숙이: 너 써리원한테 패드립 친 거냐?

─ 불닭: 우리끼리 패드립 치면 어떻게 되는지 몰라?

누텔라는 'ㅜㅜㅜㅜ'를 입력하며 사과했지만, 사태는 돌이킬 수 없게 커졌다. 그날 새벽, 써리원 엄마의 상태가 위중해져 중환자실로 옮겨 간 것이다. 주말을 지나며 학교 수업은 전면 온라인 수업으로 바뀌었고 학원까지 휴강되었다. 누텔라는 써리원을 만나 석고대죄할 기회를 얻지 못했다.

월요일 아침, 온라인 수업을 위해 iONE에 접속했을 때 이틀 내내 말이 없던 써리원이 4인분 방에 메시지를 올렸다.

─ 써리원: 미친, 나 너무 울어서 눈이 통통 부었다. 선글라스 끼고 수업 들어가면 욕먹겠지?

쉐임 모모스 대미지 59
─ 심화 풀이: 10대 자살 위험군 관찰 명단

무스께 무스께 무스께.

창밖의 매미가 울음의 데시벨을 높여 가는 한여름. 원래대로라면 여름 방학이 시작했을 시기였지만 등교 수업과 온라인 수업을 번갈아 진행하던 △△중학교는 학사 일정이 꼬인 상태였다. 각 반의 담임 교사들은 방학 전에 1학기 교과 과정을 끝내겠다는 듯 빽빽한 온라인 수업 시간표를 학생들에게 공고했다.

교실 수업이었다면 유달리 큰 머리 크기로 홍익인간 이념을 실천하는 자이언트 피플 뒤에 숨어 엎드려 자거나 장난쳤을 학생들은 iONE으로 집합했다. 편의점 4인분도 저마다 자기의 방을 어슬렁거리다 컴퓨터 카메라 앞에 앉았다.

"손 보이게 해라, 손! 23번, 옆에 인형 안 치워?"

수학 교사 쟈니가 말했다. 수업 시간에 조는 애들에게 "자냐? 자?"라는 말을 많이 해 학생들 사이에서 '쟈니'라 불리는 수학이 화면 속 학생들을 체크했다.

"17번, 카메라 렌즈 좀 닦아라."

학생들은 학교에서처럼 교복에 넥타이를 맸지만, 화면에 안 보이는 하의는 후줄근한 반바지를 입었다. 출석 체크를 한 다음에는 iONE 화면 옆으로 인터넷 창을 띄워 딴짓에 들어갔다.

이거 뭐 엎드려 잘 수가 있나, 엉덩이 좀 달싹거리다 앞자리 애를 펜으로 찔러 볼 수가 있나. 온라인 수업에 집중하기란 지옥의 불 맛 떡볶이를 치즈 토핑이나 쿨피스 없이 먹는 것과 다름없었다. 더구나 월요일 1교시에 수학이라니. 2학년 2반 학생들은 우리 반 수학 성적이 전체 꼴등인 이유가 다 개념 없는 시간표 때문이라며 하나둘 수포자의 길로 접어들었다.

그즈음, 편의점 4인분 단톡방에는 지난밤 끝내지 못한 처벌 방법에 관한 얘기가 계속됐다. 누텔라는 오늘 점심시간에라도 편의점 앞에서 만나 너희들이 퍼붓는 욕과 주먹을 받아 주겠다고 했다.

‑ 불닭: 너 응징하러 갔다가 바이러스 걸리면 책임질래?
‑ 누텔라: 그럼 어쩌라고.
‑ 반숙이: 언택트 시대에 맞는 벌을 받아라.
‘언택트’의 스펠링을 써 보라면 머뭇거릴 녀석들이 ‘응징, 징벌, 대가’ 같은 단어를 언택트와 섞어 쓰며 누텔라를 압박했다. 정작 피해 당사자인 써리원은 운동장 구석에 굴러다니는 교복 넥타이처럼 만신창이가 된 얼굴로 아무 말도 하지 않았다. 불닭과 반숙이는 온라인 상황에 걸맞은 처벌을 생각해 냈다.

‑ 반숙이: 화면에서 사라진 다음에 입에 청테이프 붙이고 나와.

- 불닭: 쟈니가 뭐라 해도 버텨라.

누텔라는 '이 어이없는 삼시 세끼들아, 닥쳐 줄래?'라는 말이 목까지 차올랐다. 하지만 침묵으로 방관하고 있는 써리원의 눈치가 보여 하고 싶은 말을 참았다.

- 누텔라: 그럼 되는 거야? 내가 그거 하면 종결 치는 거?

1교시 종료 15분 전, 쟈니가 일차 함수 단원 평가를 채팅 창에 띄웠다. 문제를 풀 희생양을 찾기 위해 화면을 두리번거리던 쟈니가 누텔라의 화면을 보며 말했다.

"9번, 9번은 어디로 숨었냐."

쟈니는 몇 번 더 9번을 불렀다. 교실 수업이었다면 '박정효, 앞으로 나와!'라고 호통쳤을 타이밍이었다. 그때 9번 누텔라가 화면에 나타났다.

"누가 네 멋대로 자리 이탈하래. 입은 왜 그러고 있어?"

쟈니가 누텔라의 마이크를 켜며 어디 갔다 왔느냐고 물었다. 화면 속 누텔라는 여전히 손으로 입을 가린 채 말끝을 흐렸다.

"기, 기침이 나서."

"감기 걸렸냐?"

쟈니의 질문에 누텔라가 고개를 끄덕였다. 기침, 발열, 재채기는 요즘 같은 시대에 특히 주의해야 하는 증상이었다.

샤니는 더 묻지 않고 누텔라의 마이크를 껐다. 그때 수업 채팅 창에 한 글자씩 글자가 올라왔다.

─ 명

─ 복

─ 아

─ 손

"명복아? 명복이가 누구야, 채팅에 똥 싸지 말랬지!"

샤니가 소리치자 채팅 창은 다시 고요해졌다. 누텔라는 조심스럽게 입을 가리고 있던 손을 뗐다. 누텔라의 입에는 투명 테이프가 윗입술과 아랫입술을 가로지르며 두 줄로 붙어 있었다.

쉬는 시간, 불닭과 반숙이는 누텔라의 벌칙 수행 태도가 불량하다며 또 다른 벌칙을 추가했다. 2교시 도덕 시간, 복장 불량으로 지적받기. 3교시 영어 시간에 맥락 없는 질문과 함께 채팅 창에 19금 이미지 띄우기.

인내심이 한계에 다다른 누텔라는 '카메라 앞에서 내가 목매달고 죽으면 속 시원하겠냐?'라고 톡을 썼으나 이내 지웠다. 써리원이 보는 데서 죽는단 말을 하면 안 될 것 같았다.

2교시 도덕 시간, 누텔라는 맨몸에 교복 조끼만 입고 카메라 앞에 앉아 복장 불량으로 교사에게 지적받았다. 3교시 영어 시간에는 '19금은 영어로 뭐라고 하나요?'라는 질문과 함께 ⑲ 표시를 채팅 창에 띄웠다.

싱킹 포이모스 대미지 72
— 개념 암기: 친구에게 하고 싶은 말

다음 날, 누텔라는 써리원에게 여든한 번째 부재중 전화를 걸었다. 뛰면 4분 10초 만에 갈 수 있는 써리원의 집에 가지 못한 채 사면초가의 심정으로 사죄의 톡을 보냈다.

— 반숙이: 써리원 귀찮게 하지 마라. 걔 지금 엄마 병원에 있대.

— 불닭: 우리랑 해결해. 우리가 써리원 대변인이다.

뭐? 대변인? 누텔라는 이간질에 재미를 붙인 불닭과 반숙이의 집 앞에 찾아가 당장이라도 참교육을 시켜 주고 싶었다. 하지만 지금은 그들이 우위에 있었다. 바이러스 때문에 누굴 만나기도 힘들었고 학교 수업은 계속 iONE으로만 진행됐다. 두 간신배는 친구의 마음에 상처를 준 잘못을 뉘우치라며 '명복(冥福)'과 '쾌유(快癒)'를 한자로 3백 번씩 쓰게 했다.

그래, 한자 공부한다 생각하고 해 주자. 누텔라는 손목에 압박 붕대를 감아 가며 한자 쓰기에 열중했다. 한번 병에 걸리면 이렇게 낫기 어렵다는 듯 '쾌유'의 '병 나을 유(癒)'는 획수가 무려 18회나 됐다. 컴퓨터 화면에 한자를 띄워 놓고 보면서 쓰는데도 눈과 손이 따로 놀았다. 겨우 백 번을 채웠을 땐 15세 나이에 노안이 온 것처럼 눈이 침침했다. 그런데도 한 글자 한 글자 쾌유를 쓸 때마다 써리원 엄마의 쾌유를 빌었다.

'병 나을 유, 병 나을 유, 병 나을 유. 써리원, 너희 엄마 꼭 나으실 거야. 힘내, 나도 기도할게. 나중에 엄마 집에 오시면 우리가 환영 파티 해 드리자. 누텔라 사 먹을 돈 모아서 너희 엄마 좋아하시는 거 내가 쏠게.'

누텔라는 마치 써리원에게 편지를 쓰듯 진심을 담아 글씨를 썼다. 2백 번을 채우고 난 다음에는 시큰거리는 손목을 돌리며 써리원에게 아흔한 번째 부재중 전화를 걸었다.

파이터 아레스 대미지 89
— 밑줄 포인트: 매미 청각의 비밀

— 누텔라: 어떻게 하면 되는데? 내가 내 얼굴 때려서 코피

라도 터뜨릴까?

　수요일 2교시 쉬는 시간, 편의점 4인분은 다시 단톡방에 모였다. 누텔라는 자기 입으로 자해를 한다고 했지만, 살벌하게 뭘 그렇게까지 하느냐며 누구 한 명이라도 자신을 말려 주길 바랐다.

　ㅡ 반숙이: 할 수 있어?

　ㅡ 누텔라: 한다니까. 지금 하면 되냐? 어디서 할까?

　ㅡ 불닭: 내가 온라인 방 하나 판다.

　4교시가 끝나자 불닭이 온라인 링크를 보냈다. 그래, 너희가 피를 보길 원한다면 내가 보여 주마. 누텔라는 온라인 방에 입장해 한 명씩 친구들의 얼굴을 보았다.

　뿔테 안경에 앞머리를 세운 불닭. 누텔라는 불닭과 나눈 편의점의 추억이 떠올랐다. 그냥 불닭보단 라이트 불닭이 칼로리가 적다며 너의 다이어트를 챙겨 줬던 내 과거에 주먹을 날린다. 누텔라는 오른 주먹으로 자기 얼굴을 쳤다.

　"잘 안 보였는데? 좀만 뒤로 가 봐."

　변성기가 온 목소리로 반숙이가 말했다. 누텔라는 입술을 깨물었다. 학원 쉬는 시간마다 혼자 엎드려 자던 너에게 같이 편의점에 가자고 했던 내 순수한 마음에 어퍼컷을 날린다. 누텔라는 자기 얼굴에 두 번째 주먹을 날렸다. 턱이 얼얼해지며 눈앞이 잠깐 하얘졌다.

"야, 이건 너 스스로 때렸으니까 학폭 아니다."

반숙이가 말하자 누텔라가 비웃듯 입꼬리를 올렸다.

"왜, 내가 신고할까 봐 겁나냐?"

"가해자는 넌데 무슨 신고를 해. 언어폭력도 폭력이다. 써리원한테 막말한 거 잊었냐?"

불닭이 발끈하며 말했다. 누텔라는 화면 속 써리원을 보았다. 코 밑에 듬성듬성 수염이 난 얼굴에 선글라스를 낀 써리원.

"미안하다, 미안해. 죽도록 미안해. 이렇게 하면 속이 풀리냐? 이렇게 하면 마음이 풀려?"

누텔라는 자기 뺨을 후려치고 안경을 벗은 다음 책상 유리에 이마를 찧었다. 그러고는 몸을 돌려 주먹으로 벽을 몇 번이나 쳤다. 팔꿈치가 찌릿하며 손목뼈가 부서지는 듯한 통증이 일었다. 살갗이 벗겨진 손등에 피가 맺혔다. 용암이 분출하듯 내내 억눌렀던 감정이 폭발했다. 누텔라는 책상 서랍을 열어 커터 칼을 꺼냈다. 드르륵, 칼날을 올리고 카메라에 비추자 써리원이 마이크를 켜고 말했다.

"너 지금 나 협박하냐? 미안한 거 맞아?"

자신의 진심을 의심받자 누텔라는 설움이 북받쳤다. 어쩌다 써리원과 내가 이렇게 됐을까. 어쩌다 우리가 이 지경이 된 거지?

누텔라는 써리원과 처음 친해졌을 때가 아직도 생생했다. 열한 살, 수학 학원 복도에서 네가 나에게 당 보충하러 가자고 했을 때. '엄마는 외계인'과 '슈팅 스타'를 먹으며 처음 엄마 얘기를 했던 날. "넌 엄마가 카드 줘?"라고 내가 묻자 "응, 엄마 집에 없거든."이라 말하며 쓴웃음을 짓던 녀석. 엄마의 암 수술을 담담히 말하며 파란색 팝핑 캔디를 먹던 너의 표정.

그때부터 누텔라는 알고 있었다. 써리원이 바라는 건 엄카로 간식을 사 먹는 게 아니라 엄마와 함께 아이스크림 가게에서 무슨 맛을 먹을지 신나게 고르는 것이라는 걸. 엄마 생각이 날 때마다 달콤한 아이스크림을 먹으며 애써 슬프고 무서운 생각을 지웠다는 걸.

매번 장맛비를 퍼붓는 수학 쪽지 시험에도 좌절하지 않고 인생의 쓴맛까지도 함께하니 좋다고 했던 우리. 같은 중학교에 배정되어 기적처럼 같은 반이 되었을 때 둘이 끌어안고 내질렀던 함성.

어느새 누텔라의 얼굴은 눈물로 젖어 있었다. 써리원은 마지막 말을 남기고 온라인 방을 나갔다.

"우리 엄마 어떻게 되면 다 네 탓이다."

어둠의 신들이 뿜어내는 다크 에너지에 누텔라의 대미지 수치가 치솟았다. 누텔라는 책상 의자를 박차고 밖으로 나갔다. 지난 며칠의 시간이 머릿속에 빠르게 지나갔다. 불과 얼마 전까지만 해도 '밝고 웃긴 애. 가끔 재수 없게 잘난 척하지만 혼자 있는 애한테 먼저 말 걸어 주는 착한 애'라는 롤링 페이퍼를 받던 누텔라였다. 그러나 이젠 단 한 번의 실수로 따돌림과 괴롭힘을 당하는 처지가 되어 버렸다. 10대 자살 위험군 A가 된 누텔라는 자신을 못살게 군 녀석들에게 복수할 방법을 떠올렸다.

짓밟혀진 소년의 자존감은 '자살이 답이다'라는 잘못된 판단으로 향해 갔다. 내가 죽으면 너희의 괴롭힘이 얼마나 치사하고 나쁜 짓이었는지 다 알려지겠지. 왜곡된 복수의 불꽃이 A 군을 휩싸고 돌았다.

무스께 무스께 무스께.

A 군의 수호 매미가 발성 기관의 데시벨을 높여 위험을 알렸다. A 군은 아파트 단지 안을 헤매다 제일 구석에 있는 501동 앞에 멈춰 섰다. 1초, 2초, 3초……. 약 15초 동안 옥상

을 응시하던 A 군은 입구 앞 화단을 살폈다. 옥상에서 몸을 날리면 어디로 떨어질까 가늠하는 것이었다. 그때 번쩍거리는 노란빛이 A 군의 얼굴을 스쳤다. 놀란 A 군이 뒷걸음질 치며 고개를 들었다.

'외계인이다. 전에 봤던 그놈!'

매미는 형광색 날개로 두 개의 원을 그리며 돌았다. 날개 끝이 그리는 선이 붉고 푸르게 번지며 마치 비 온 뒤 아스팔트 바닥에 생기는 무지개 띠 같은 무늬를 만들었다. A 군은 공중에서 무한대 기호(∞)를 그리며 도는 매미를 향해 점프했다. 두 손을 위로 뻗으며 A 군은 자기도 모르게 화단 근처에서 벗어났다. 501동 앞 놀이터를 가로질러 △△교회를 지날 때까지 매미가 날갯짓의 속도를 높였다. 그러면서도 A 군이 멀어지면 비행 속도를 줄여 한자리에 머물렀다. A 군은 나비를 쫓는 아이처럼 양손을 휘저으며 앞으로 나아갔다.

"야이, 어? 이씨."

A 군은 혼잣말을 중얼거리며 매미를 쫓아 사거리까지 갔다. 매미는 A 군을 놀리듯 무한대 기호로 날며 A 군의 손끝을 스쳤다. 그러다 별안간 고무줄 동력이 멈춘 글라이더처럼 힘없이 A 군의 손바닥으로 툭 떨어졌다. 얼떨떨한 표정의 A 군이 양손을 펼쳐 매미를 받아 냈다.

가까이에서 본 매미는 빨간 눈에 다리 끝이 직각으로 구부러져 있었다. 책에서 보던 매미 사진과 비슷했지만 작은 캡슐 같은 푸르른 몸통과 날개가 특별해 보였다. 보통 매미처럼 한 쌍의 날개가 떨어져 있는 게 아니라 수십 개의 가는 선이 그물처럼 하나로 연결돼 있었다. 얇고 투명한 막이 여러 개의 색으로 신비롭게 빛났다. 더 이상한 건 매미에게서 희미한 초콜릿 향이 났다.

"어, 어!"

A 군이 넋 놓고 있는 사이 매미가 날아올랐다. 투명하게 보였던 날개가 형광색 띠를 만들며 허공에 일직선을 그렸다. 그러다 다시 한자리에 머물렀다. 매미가 멈춘 곳에 써리원이 있었다. 매미는 편의점 앞 테이블 의자에 앉아 있는 써리원의 머리 위를 날았다.

써리원을 보자 A 군은 몸이 돌처럼 굳었다. 써리원도 당황한 기색이 역력했다. 그때 '팡' 하는 소리와 함께 공중의 매미가 감쪽같이 사라졌다. 형형색색의 먼지 같은 알갱이들이 써리원 주변으로 흩어졌다.

'너도 봤지?'

누텔라는 어안이 벙벙한 표정으로 써리원에게 속으로 말

을 건넸다.

'봤어. 방금 그거 뭐야?'

눈앞에서 벌어진 거짓말 같은 상황에 써리원은 자기도 모르게 의자에서 일어나 누텔라에게 다가갔다. 30분 전까지만 해도 내가 맞으니까 속 시원하냐고, 우리 엄마가 죽으면 네 탓이라고, 서로에게 다크 에너지를 뿜어대던 두 친구는 막상 얼굴을 마주하자 어떤 말을 해야 할지 몰랐다.

미안해,라는 말을 속으로 삼킨 누텔라가 자기 손등을 어루만지며 고개를 숙였다. 푸르스름하게 멍든 손등에 뼈가 튀어나온 부분마다 피가 맺혀 있었다. 그 상처를 보자 써리원도 같이 고개를 숙였다.

"훅."

써리원이 손을 둥글게 말아 누텔라에게 독침을 쏘았다.

"훅, 훅훅."

써리원이 몇 번 더 소리 냈다. 누텔라는 가만히 독침을 맞았다. 그러고 난 뒤 써리원은 몸을 돌려 다시 테이블로 갔다.

"야!"

누텔라가 써리원을 불렀다.

"왜."

써리원이 고개를 돌려 누텔라를 보았다.

"그거 아냐? 매미는 자기가 우는 소리를 못 듣는대."

"왜?"

"귀가 멀까 봐. 자기 우는 소리가 너무 커서."

누텔라가 말했다. 두 사람은 미확인 생물체가 사라진 곳을 올려다보았다. 그러고는 어색한 표정으로 몸을 돌려 한 명은 편의점, 다른 한 명은 아이스크림 가게로 들어갔다.

10대 자살 위험군 관찰 명단 'A 군' 삭제.

"근데 너 쾌유 쓸 때 울었냐?"

써리원이 싱글킹 아이스크림을 손에 들고 물었다. 두 사람은 앞뒤로 약간의 거리를 둔 채 집을 향해 걷고 있었다.

"내가? 아니!"

"한자에 눈물 자국 같은 거 있던데? 번진 자국."

"아, 그거, 운 게 아니라 쓰다가 잠들었는데……."

누텔라가 초콜릿 잼을 묻힌 과자 스틱을 입에 넣으며 말했다. 점심시간이 끝나고 이제 곧 5교시가 시작할 시간이었다. 두 소년은 플라타너스가 우거진 길을 걸으며 폰으로 iONE 에 접속했다.

이상, A군 관찰 및 상황 보고 종료.

첨부 자료: 1. 10대 자살 위험군 관찰 명단(해당 월 누적 집계: 6만 3,722명)

2. 명단 등재자를 위한 수호 영혼의 변신 상태

3. 보고서 열람 후 지체 없이 본 문건을 파기한다는 이행 협약서

위 보고서는 수호 영혼의 면밀한 관찰을 통해 재구성되었으며, 챕터 제목 중 '하데스, 에리스, 모모스, 포이모스, 아레스'는 A군이 유년 시절 좋아하던 그리스 로마 신화에서 어둠의 신들의 이름을 사용하였음.

작가의 말

책상에 앉아 시험지를 받습니다. 터널에 갇힌 것처럼 공기는 탁하고 밧줄로 온몸이 꽁꽁 묶인 듯한 기분이 들어요. 1번 문제부터 눈앞이 캄캄해지네요. 이번 수학 시험도 망쳤습니다. 밧줄이 조여 오면서 숨쉬기가 힘들어져요.

괴로움에 저는 소리치며 꿈에서 깨어납니다. 지금도 심리적인 압박감이 클 때면 저는 학교에서 시험 보는 꿈을 꿉니다. 그만큼 청소년 시절은 제게 힘든 기억으로 남아 있습니다.

하지만 좋았던 기억도 있죠. 제일 좋은 건 학교 끝나고 친구들과 먹는 떡볶이. 친구 집에 놀러 가 라면을 끓여 먹고 방에 드러누워 끝도 없는 수다를 떠는 맘 편한 시간. 그런데 그 소중한 친구와 다투기라도 하면 지옥의 독한 맛은 자비 없이 제 앞에 펼쳐졌습니다. 영문도 모른 채 따돌림을 당할 땐 세상이 무너져 내리는 듯했죠.

그때 저는 몰랐습니다. 수학 시험도, 절친한 친구와의 오해도, 내가 나를 사랑하지 않는 것보다 무서운 일은 아니란 걸. 날 사랑해 주는 내 편이 단 한 명은 있다는 것. 그건 바로 나. 내 안의 빛. 세상이 온통 날 버린 것 같은 절망이 와도 내 안의 빛은 날 떠나지 않는다는 걸 이제는 압니다.

여러분에게 제가 아는 것을 말할 수 있어 다행입니다.

그리고 언젠가, 여러분이 아는 것을 제게 말해 주세요.

05

엎드린 사람

서장원

2020년《동아일보》신춘문예에 단편 소설 〈해가 지기 전에〉
가 당선되며 작품 활동을 시작했다. 지은 책으로 소설집《당
신이 모르는 이야기》가 있다.

"우리 반 준희가 어제 갑자기 없어졌다고 해."

아침 조례 시간이었다. 담임이 준희의 실종을 알린 것은. 처음에는 그 말을 아무도 믿지 않았다. 학교에선 언제나 크고 작은 해프닝들이 있었는데 그게 정말 비극적인 결과로 이어진 적은 한 번도 없었다. 아마 준희도 며칠 없어졌다가 다시 학교에 나올 거라고들 생각하는 것 같았다.

"이따가 형사 아저씨들 올 거야. 너희들한테도 준희에 대해서 물어볼 건데, 최대한 솔직하게 말씀드리도록 하자."

담임은 그렇게만 말한 다음 교실을 나갔다. 조례 시간마다 읽어 주는 오늘의 명언도 없었다. 형사가 학교로 찾아온다는 말에 교실은 금세 시끄러워졌다. 아이들은 형사와 직접 얘기

할 일이 생겼다는 것에 들뜬 것 같았다. 다만 아이들이 기대한 것과 달리 형사들은 선생님들이랑 비슷했다. 담임이 미리 말해 주지 않았으면 그냥 다른 학교 선생님들이라고 생각했을 것 같았다. 나는 복도 쪽으로 난 창을 통해서 학교로 찾아온 두 남자를 유심히 지켜봤다. 한 명은 담임 나이쯤 되어 보였고, 다른 한 명은 그보다도 젊어 보였다.

형사들은 과학실에 자리를 잡고서 우리 반 아이들을 출석 번호순으로 불러냈다. 일찍 이름이 불린 아이들은 조금 흥분한 채로 교실로 돌아왔다. 영화에서나 보던 일을 실제로 겪게 돼서 신이 난 것 같았다. 아이들은 형사들이 준희가 평소에 어땠는지, 준희에게 자살할 만한 어려움이 있었는지 물어봤다고 했다. 그리고 준희가 마지막으로 목격된 곳은 강변 인근이라고도 전했다.

내 출석 번호는 뒤에서 두 번째였으므로 형사들이 나를 부르기까지는 시간이 한참 걸렸다. 내 다음, 맨 마지막 순서는 지아였다. 나와 지아를 포함한 몇 명은 마지막 6교시가 끝날 때까지 순서가 돌아오지 않아서 빈 교실에 남았다. 담임이 무표정하게 교탁에 앉아 있었는데, 뭐랄까 넋이 나간 것 같았다. 나는 책상 아래로 손을 넣고 지아에게 카톡을 했다.

― 별일 없겠지?

― 우리 잘못한 거 없잖아. 걱정 마.

이름이 불려 과학실로 걸어가는 동안, 나는 지아를 생각했
다. 지아라면 이 상황에서 어떻게 대처할까? 언제나 지아에
겐 나보다 나은 답이 있는 것 같았다. 그래서 어제도 지아에
게 도움을 구한 거였다. 그리고 지아는 완벽하게 내 문제를
해결해 줬다. 그러니까, 어제까지는 그렇게 생각했다.

"준희야, 너 담임한테 하은이 얘기 했어?"

어제, 지아는 준희를 매점 뒤편의 공간으로 불러내 그렇게
물어봤다. 다그치거나 화를 내는 투는 아니었다. 우리 한번
동등한 입장에서 대화를 나눠 보자는, 그런 말투였다. 그런
태도로 준희에게 말을 거는 사람은 드물었다. 교사들은 준희
를 없는 사람 취급했다. 수업 시간에 애들이 준희를 가지고
농담을 해도 그걸 짚어서 나무라지 않았고 준희가 책상에 엎
드려 있어도 혼내지 않았다. 아이들은 준희에게 직접 말을
거는 대신 준희를 이용하여 자기들끼리 장난을 쳤다. 쉬는
시간이면 교실 뒤편에서 친구를 놀린답시고 '니 여친 박준
희', '니 베프 박준희'를 외쳤다. 그리고 지아는 한 번도 그런
질 낮은 농담에 동참한 적이 없었다. 딱 한 번, 그런 농담을 들

었을 때 정색을 하면서 "내 베프 한하은인데?"라고 받아쳤을 뿐이었다. 나는 그런 지아가 자랑스러웠다. 쓸데없이 준희를 언급하지도 않으면서 누군가의 공격에 바로 응수할 수 있는 지아가 나의 베프라는 것이, 그리고 지아 역시 나를 베프라고 생각해 준다는 것이.

"준희야, 너 하은이랑 어렸을 때 친했던 건 알겠는데, 하은이는 이제 너랑 친구 하고 싶지 않대. 서로 안 맞는데 억지로 같이 있으려는 것도 폭력이잖아. 선생님한테 하은이 얘기 그만해 줘."

우리는 매점 뒤편의 그늘에 서 있었다. 어디선가 매미가 맹렬하게 울어댔다. 준희는 지아의 말에 별다른 반응을 하지 않았다. 고개를 숙인 채 아주 미묘하게 머리를 움직였는데, 지아는 그걸 고개를 끄덕인 것으로 친 것 같았다.

"그럼 됐다. 앞으로 잘해 보자, 우리."

지아는 그렇게 말하며 손을 내밀었다. 준희가 손을 맞잡았다. 내가 끼어들 것도 없었다. 지아는 완벽하게 나의 고민을 해결해 줬다. 나와 지아는 매점의 그늘을 벗어나 함께 교실 쪽으로 걸어갔다. 여름 햇볕이 뜨거웠다. 나는 마음이 가벼웠다. 준희가 매점으로 들어가서 뭘 사 먹었는지, 그냥 그대로 그늘에 서 있었는지, 아니면 우리 뒤를 따라서 걸었는지 생각하지 않을 정도로.

　형사들은 상냥했다. 마주 앉아서 보니까 둘 중 한 명은 정말 젊어 보였다. 지난 학기에 다녀간 교생 선생님 정도의 나이였다. 형사들은 학교 앞 카페에서 테이크아웃 한 아이스커피를 하나씩 들고 있었다. 얼음이 다 녹아서 플라스틱 컵 속 액체는 밍밍해 보였다.

　"준희 어머님이 그러시는데, 준희가 그래도 너랑은 좀 친했다는데, 맞니?"

　준희는 대체 나에 대해 무슨 얘기를 하고 다녔던 걸까? 준희와 내가 친구였던 건 우리가 초등학생 때의 일인데.

　"요즘엔 별로 안 그랬어요."

　"네 옆자리가 준희 자리던데, 뭐 특별한 점이 없었어?"

　"자리 바뀐 지 하루밖에 안 돼서, 저도 몰라요."

　나는 지아라면 할 수 있는 말을 떠올리지 못하고 그렇게만 대답했다. 형사들은 내 대답에 역시나, 하는 표정이었다. 그들은 그 뒤로도 어제 준희가 어두운 모습이었는지, 죽음을 암시하는 말을 하지는 않았는지 등을 물었다. 사실 난 좀 한심하다고 생각했다. 여태 반 애들 전부가 같은 대답을 했을 텐데 왜 답도 안 나오는 걸 자꾸 물어볼까? 준희는 늘 이상하고 어두웠다. 그건 우리 모두가 아는 일이었고, 그 이상으로 준희에 대해 말해 줄 수 있는 사람은 아무도 없었다.

　물론, 나는 더 아는 게 있기는 했다. 형사들 입장에서는 실종과 관계없는 쓸데없는 얘기라서 안 했을 뿐이다. 준희의 말처럼, 나랑 준희는 초등학교 4학년 때 친하게 지냈다. 그때 우리는 매일 모든 것을 함께했다. 준희가 매일 우리 아파트 단지 정문에서 나를 기다렸고, 우리는 거기서 만나 학교까지 같이 걸어갔다. 하교할 때도 당연히 함께했다. 돌이켜 보면 이 시기가 준희에게는 누군가와 소통할 수 있는 마지막 나날이었을 것이다. 그 몇 달 이후로 준희는 전따가 되었으니까. 준희는 내 곁에서 행복했을까? 잘 모르겠다. 다만 나에게는 그 시간이 그다지 즐겁지 않았다. 처음에는 몰랐지만 준희와 친구가 된다는 건 곧 다른 아이들 모두와 친구가 될 수 없다는 뜻이라는 걸 그 몇 달 동안 철저히 깨달았기 때문이다. 전학생이던 나에게 준희는 스스럼없이 다가왔다. 지금도 그 모습이 생생하다. 새 학교에서 첫 번째 쉬는 시간을 보내고 있을 때, 단발머리를 연갈색으로 염색한 준희가 내 옆에 앉더니 하리보 한 봉지를 건넸다. 봉지째로 간식을 주는 아이는 준희가 처음이었다. 그때 나는 준희가 제법 사는 집에서 자란 외향적인 아이라고 생각했다. 나는 그런 준희가 고마웠다. 다만 준희가 아이들과 어울리지 못한다는 것을 알게 되고 나서는 마음이 복잡했다. 준희는 전학생이던 나를 포함해서, 누구에게나 친밀한 태도로 말을 걸고 제 몫으로 가져온 간식이나 학용품을 건넸다. 마치 우리 모두가 친구인 따뜻하고 다정한 어린이 만화 속에 살고 있다는 듯이. 앞에 앉은 애에게 간식을 나눠 주려고 했다가 아무 대답도 듣지 못하고 묘한 비웃음을 살 때, 준희가 다가가자 모여 있다가도 순식간에 흩어지는 아이들을 볼 때 나는 마음이 아팠다. 그 순간에는 그렇게 무시당하는 사람이 나라는 생각이 들었기 때문이다.

사실 준희와 단둘이 보내는 시간은 나쁘지 않았다. 아니, 즐거운 순간이 많았다. 준희는 내게 다정했고, 너그러웠다. 준희는 제 물건을 거리낌 없이 내게 빌려줬고, 내가 조금이라도 욕심내는 것은 모두 선물이라며 내게 건넸다. 하굣길에는 당연하다는 듯 내 몫의 아이스크림이나 음료수를 사 주었다. 준희네에서 함께 텔레비전이나 유튜브를 볼 때면 준희는 내게 모든 선택권을 넘겨줬다. 게다가 준희 어머니는 나를 무척 좋아했다. 그녀는 우리 엄마보다 족히 열 살은 더 나이가 많아 보였는데, 그녀에게선 내가 혹여나 준희 곁을 떠날까 싶은 조바심이 느껴졌다. 내가 준희네에 가면 그녀는 우리 집에서는 잘 해 먹지 않는 손이 많이 가는 간식들을 차려 주었다. 껍질을 발라 낸 대하를 튀겨 주었고, 직접 만든 고로케와 육전을 앙증맞은 포크와 함께 내주었다. 그러나 준희 어머니가 내준 음식을 먹을 때면 나는 죄책감이 들었다. 나는 늘 준희를 떠나고 싶었고, 그럴 수 있는 기회를 노리고 있었다.

물론 그건 쉬운 일이 아니었다. 학교에서는 언제나 우리를 지켜보는 아이들이 있었다. 모두가 우리를 비웃을 준비를 하고 있었다. 아이들은 어느새 나를 준희랑 다니는 애로 인식하기 시작했다. 준희를 제외한 누구도 내게 말을 걸지 않았고, 내가 먼저 말을 걸면 준희에게 그러는 것처럼 이상한 웃음을 지으면서 단답으로만 대꾸했다. 여러 명이서 조를 짜야 할 때면 아이들은 준희와 나를 포함시키지 않기 위해 신경전을 벌였다. 나는 준희와 함께 있으면서도 혹시나 내가 들어갈 수 있는 새로운 친구 그룹이 없나 기웃거렸지만, 그건 영원히 불가능하게만 느껴졌다.

그러니 준희가 내게 지아의 생일 파티에 가자고 한 일은 무척 충격적이었다. 지아는 그때 우리 반 반장이었고, 아이들에게 인기가 있었으며, 반에서 1, 2등을 다투는 성적을 유지했다. 준희가 브래지어를 했는지 확인하기 위해 일부러 등을 때려 보던 남자애들, 심지어 복도에서 '슴만튀'를 외치며 준

126

희의 가슴을 만지거나 찔러 보던 남자애들도 지아에게는 그
러지 않았다. 게다가 지아는 준희에 대해서도 다른 애들처럼
냉정하게 굴지 않았다. 준희가 뭐든 물어보면 부드럽게 대답
해 줬고 아주 가끔, 준희를 괴롭히는 남자애들에게 "그러고
싶냐."라든지, "하지마, 좀." 하면서 만류하기도 했다. 나는 그
런 순간들을 눈여겨봤고, 그래서 지아가 우리를 생일 파티에
초대했다는 말을 덥석 믿었다. 아이들이 자신을 따돌린다는
사실을 좀체 받아들이지 않는 준희의 모습을 까마득히 잊었
던 것이다. 아니면 그렇게 믿고 싶었거나.

　나는 지아의 생일 파티를 정성을 다해 준비했다. 지아가
평소 아껴 입던 라코스테 티셔츠를 선물로 사고 싶었는데, 그
러기 위해서 큰이모에게 도움을 청했다. 내가 입고 싶은데
엄마가 사 주지 않으니까 하나만 사 줄 수 없겠느냐고, 그걸
입지 않으면 아이들에게 따돌림을 당할 수도 있다고 거짓말
을 했다. 지금도 그 말을 하던 순간의 복잡한 마음이 생생하
다. 마치 미래인 양 말하는 그 일이 이미 실제로 일어났다는
수치심과 이모에게 거짓말을 한다는 죄책감, 그리고 이모가
나를 위해 사 준 선물을 누군가에게 줘야 한다는 배덕감 같은
감정에 나는 이모에게 전화를 하면서 엉엉 울고 말았다. 이

모는 다음 날 당장 학교 앞으로 나를 찾아왔고, 백화점에 데려가 내게 필요한 것을 잔뜩 사 주었다. 부탁했던 티셔츠는 물론이고 운동화, 학용품, 텀블러까지. 이모의 손을 잡고 백화점을 거니는 동안 나는 이모에게 모든 것을 털어놓고 싶었다. 사실 학교에서 거의 왕따나 마찬가지라고. 이 선물을 통해 그걸 만회해 보려고 한다고. 그러나 그럴 수는 없었다. 지금 다시 그때로 돌아간대도 나는 이모에게 사실대로 말할 수 없을 것이다. 나를 집 앞에 내려 주기 전, 이모는 필요한 것은 언제라도 말하라고 내 손을 붙잡고 말했다. 내 사정을 모르고 한 말이기는 했지만 나는 이모의 응원에 힘을 얻었다. 그러니까, 준희를 벗어나 다른 아이들과 어울릴 수 있다는 희망을 품었다.

지아의 생일 파티가 열리는 날, 나는 이모가 사 준 운동화를 신고 브랜드 로고가 크게 그려진 티셔츠를 입었다. 머리도 평소처럼 한 갈래로 묶지 않고 단정히 빗었다. 그리고 지아에게 줄 선물은 잘 포장해서 쇼핑백에 담았다. 친해지고 싶다는 내 마음을 전하는 간결한 문구가 적힌, 그러나 실은 절박한 마음으로 쓴 편지도 준비했다. 말하자면 그날은 내게 결전의 날이었다. 그러나 나는 아침부터 심상찮은 기운을 감지했다. 지아의 자리에는 언제나처럼 아이들이 몰려들었고 그날 있을 생일 파티 이야기로 시끄러웠다. 나는 멀찍이서 그것을 지켜보면서 준희에게 오늘 정말 파티에 초대받은 것이 맞는지, 정말 지아가 나까지 데려오라고 말했는지 물었다. 준희는 고개를 끄덕였다. 맞아, 그랬어, 준희는 말했다. 그러나 그렇게 말하면서도 준희는 지아의 선물조차 준비해 오지 않았다. 모든 것이 명확했다. 나는 준희에게 화를 내고 싶었다. 그러나 그럴 수가 없었다. 왕따들끼리 싸운다고 수군댈 다른 애들의 시선이 두려웠고, 하나뿐인 친구 준희가 나를 떠나는 것도 무서웠다. 그날 나는 준희에게 핑계를 대고 먼저 집에 가 보겠다고 했다. 생각해 보면 그건 우스운 일이었다. 따로 떨어지고 싶더라도 우리는 집까지 가는 길이 겹쳤다. 우리 아파트 정문에서 좀 더 걸어가야 준희가 사는 아파트 단지가 나왔으니까. 나는 보폭을 빨리해서 준희를 따돌리려고 했지만 준희가 나를 따라잡았다.

"왜 거짓말을 하니?"

나는 그렇게 물었다. 왜 왕따가 아닌 척하면서 내게 접근했니? 너 혼자 힘들면 되지 않니? 왜 나까지 끌어들였니? 나는 속으로 생각했다. 그리고 준희는 고개를 저었다.

"거짓말 아니야. 정말 오라고 했어. 이제 가면 돼."

나는 마음이 한 번 더 흔들렸다. 지아가 준희에게 집 주소를 알려 준 것이 아닐까? 만약 지아가 정말 우리를 초대했다면, 그렇다면 가지 않는 것이 더 이상한 행동이 아닐까? 나는 그런 생각들을 하면서 앞장서서 걷는 준희의 뒤를 따라갔다. 한 손에는 이모가 사 준 선물을 쥐고, 지아에게 선물을 건넬 방법을 생각하면서.

다음 날부터 준희의 사진이 인터넷에 퍼져 나가기 시작했다. 강변 인근의 차량 블랙박스에 찍힌 모습과 준희의 증명사진이 돌아다니며 실종 여중생 찾기가 시작된 것이다. 내가, 그리고 다른 아이들이 준희의 죽음을 떠올린 것도 그날부터였다. 잠수부들이 동원되어 한강 바닥을 뒤지며 실종 여중생을 찾는 영상이 유튜브에 올라온 것이 결정적이었다. 그 영상을 계기로, 아이들은 준희의 죽음을 공식화했다. 경찰과의 면담을 웃음거리 삼거나 준희를 이용하는 농담은 그날 이후로 사라졌다. 담임은 수염 자국이 까칠한 얼굴로 학교에 나타났다. 뭐랄까…… 자신이 이미 고통받고 있다는 걸 좀 알아 달라는 것 같은 모습이었다.

다만 나는 달라지는 것이 없었다. 나는 아무와도 준희에 대해 이야기하지 않았다. 지아도 마찬가지였다. 우리는 처음부터 준희가 없었던 것처럼 행동했다. 조례 시간마다 오늘의 명언을 말해 주는 대신 준희를 위한 기도를 하자는 담임도, 직접 강변에 나가 수색 작업을 하는 걸 지켜봤다는 아이들에 대해서도 모른 척했다. 교실 전체가 준희 이야기로 들썩거리는 가운데 우리는 어젯밤 갑자기 시작됐던 아이돌 그룹 세븐나인의 브이앱 얘기를 했고, 곧 시작될 방학과 방학 동안 있을 학원 보충 수업에 대해 말했다. 마치 연극을 하는 것 같았지만, 지아가 이 연극을 계속하길 원하는 한 나는 따를 수밖에 없었다. 그게 우리의 법칙이었다. 나는 그 법칙을 지키는 한에서만 지아의 곁에 머물 수 있었다. 처음 우리가 친구가 된 순간부터 그랬다.

준희가 나를 지아네 집으로 데려간 날, 나는 모든 것이 잘못됐다는 것을 알았다. 지아의 어머니는 우리를 반겨 주었지만, 지아네에 모여 있던 아이들의 표정은 우리가 초대받지 못한 손님이라는 것을 너무나 분명하게 말해 주고 있었다. 만약 지아의 어머니가 그때 집에 계시지 않았다면 그 애들은 우리를 집에 들이지도 않았을 것이었다. 아니, 만약에 어떻게 해서 집 안에 들어갔다고 해도 지아처럼 어른스러운 아이가 아니었다면 다시 집 밖으로 쫓겨났을지도 모른다.

지아 어머니의 손에 이끌려 아이들이 이미 둘러앉아 있던 밥상 끝에 앉았을 때, 피자가 담긴 접시를 전해 준 아이와 눈이 마주쳤을 때, 나는 그만 죽고 싶었다. 만약 그때 지아가 내게 말을 걸어 주지 않았다면 나는 정말 죽었을지도 모른다.

"하은아, 넌 준희랑 어쩌다 친해졌어?"

지아는 내게 그렇게 물었다. 그 말은 내게 엄청난 위안이 됐다. 그러니까…… 나는 원래는 친구들을 사귈 수 있는 애라는 걸 지아가 인정해 준 셈이었으니까.

"그냥, 처음에 준희가 나한테 말을 걸어 줬어."

나는 곁에 앉은 준희에게 최대한 시선을 주지 않으며 말했다. 지아는 고개를 끄덕였고, 충분히 이해할 수 있다는 표정을 지어 보였다. 그리고 피자를 먹고 코인 노래방에 갈 계획인데 함께 가지 않겠느냐고 내게 물었다. 오직 내게만, 준희가 아닌 내게만 건네진 호의였다. 나는 그러겠다고 대답했다. 다 같이 집 밖으로 나왔을 때는 구름이 분홍빛을 띠고 있는 저녁이었다. 지아네 아파트 입구에서, 나는 준희를 모른 척하며 지아 무리를 따라갔다. 그건 내 인생 최초의 배신이었다. 도박이기도 했다. 그렇게 해서 지아와 친해질 수 있을지는 미지수였지만, 유일한 친구인 준희를 잃는다는 건 명백했으니까. 그리고 나는 도박에 성공했다.

실종 나흘째에 접어들자 모두가 준희의 죽음을 인정하기

시작했다. 형사들은 준희를 실종 처리한 다음 강변에서 철수
했다. 그러니까, 강바닥 어딘가에 준희의 시신이 있지만 더
이상 수색을 하기는 어렵다는 거였다. 담임은 1분단부터 포
스트잇을 돌리며 준희를 위한 글을 남기게 했다. 그러고는
그걸 커다란 종이에 붙여 롤링 페이퍼를 만들었다. 롤링 페
이퍼는 교실 뒤편에 걸렸다. 아이들은 준희에게 그동안 용기
내 다가가지 못해 미안하고 아쉽다고, 다시 만나면 용기를 내
보겠다고 썼다. 나는 아무 말도 쓰지 않았다. 아마 지아도 그
랬을 거다. 수업에 들어오는 선생님들은 모두 비슷한 얘기
를 했다. 친구가 갑자기 그렇게 돼서(어른들은 절대로 준희
가 죽었다고는 하지 않았다.) 마음이 좋지 않겠다고, 하지만
산 사람은 살아야 한다고. 고입을 앞둔 지금 이런 일로 마음
이 흔들리면 안 된다고. 사실 그건 쓸데없는 걱정이었다. 준
희의 죽음으로 동요하는 사람은 아무도 없는 것처럼 보였다.
심지어 준희를 직접 괴롭히던 김이준이나 전현우도 그랬다.
전현우는 준희 안경이 마음에 든다면서 빌려 가서는 안경알
을 빼내고 자기가 쓰고 다녔다. 담임이 준희의 실종 사실을
전했을 때는 "내 슬라임 없어졌잖아!" 하고 외쳐서 남자애들
의 실소를 샀다. 준희가 없어지고 나서도 전현우는 안경만
안 썼을 뿐 학교에 잘만 나왔는데 굳이 내가 죄책감을 느껴야

할 필요는 없었다. 나는 준희와 친하게 지내지 않은 것이지 전현우처럼 준희를 괴롭힌 것이 아니었다. 친구였다가 절교하는 건 잘못이 아니다.

준희는 실종된 지 일주일 만에 발견되었다. 준희가 교복을 입은 채 강변에 웅크리고 있는 모습을 취객들이 발견한 것이다. 모두의 예상과 달리 준희는 강물에 뛰어들지 않았다. 마지막으로 영상이 찍힌 곳에서 10킬로미터 이상 떨어진 곳에, 잡초가 우거진 사각지대에 그저 웅크리고 있었을 뿐이다. 취객들은 누군가 커다란 쓰레기봉투를 버려 놓은 줄 알고 다가갔다가 그것이 사람임을 알고 경찰과 구급대를 불렀다. 뉴스에 보도된 바에 따르면 준희는 탈수와 영양실조 증상이 있을 뿐 건강에 큰 이상은 없다고 했다. 인터뷰에 따르면 준희는 그냥 강변을 걷다가 풀숲에 누워서 잠을 잤다. 목이 마르면 실종되던 날 사 놓았던 음료수를 홀짝거렸다. 말 그대로 강변 산책을 하면서 시간을 흘려보냈을 뿐이었다. 나는 좀 황당했다. 그렇게 없어져서 부모님을 걱정시키고 학교를 다 뒤집어 놓다니. 준희가 발견된 다음 날, 담임은 병가를 냈다. 이제 좀 쉬겠다는 건가 싶었다. 뭐, 이해가 안 가는 건 아니었지만, 어차피 곧 있으면 방학인데 그냥 있지 싶었다.

애들은 한 번 더 준희 이야기로 열을 올렸다. 자살하려고 했다가 마지막 순간에 마음을 바꾼 것일 뿐이라는 둥, 자기가 당한 일을 알리려고 쇼를 했다는 둥의 이야기가 돌았다. 한편 지아는 여전히 준희에 대해 아무 말도 하지 않았다. 다른 애들이 준희 얘기로 들썩거리는 와중에 정말 고집스럽게 준희 이야기를 피해 갔다. 나는 그게 좀…… 답답했다. 나는 지아와 준희에 대해 말하고 싶었다. 준희가 없어진 거, 그건 우리 잘못이 아니잖아? 솔직히 걔가 다시 교실로 온다고 해도 애들이 걔를 반겨 줄까? 롤링 페이퍼에 쓴 것처럼? 정말 이모든 게 우습지 않니? 그러나 나는 그 말들을 할 수 없었다.

준희가 있던 곳에 가겠다고 마음먹은 건 방학식 다음 날, 그러니까 방학이 시작되고 아직 학원 보충 수업은 시작하지 않은 진짜 방학이었다. 나는 버스를 타고 강변으로 갔다. 실종 직후 준희가 발견되었다는 곳에서 내려, 상류 쪽으로 걸어 올라갈 계획이었다. 막상 가 보니 버스 정류장에서부터 사람들이 북적였다. 강둑에는 공터가 넓게 마련되어 있었고, 거기서 사람들은 자전거나 인라인스케이트를 탔다. 돗자리를 깔고 맥주를 마시거나 보드게임을 하는 사람들도 보였다. 한가로운 풍경이었다. 나는 그 사람들을 지나쳐서 상류로 올라갔다. 준희가 발견된 지점까지 걸어 볼 작정이었다. 준희가 정확히 어디서 발견됐는지는 몰랐지만, 뉴스에 보도된 사진으로 그럭저럭 알아맞힐 수 있을 것 같았다. 나는 그렇게 걸어 보는 것으로 내 마음속에서 준희에 대한 이런저런 생각들을 떨쳐 낼 생각이었다. 다만 날이 무척 더웠고, 여기저기서 파리 떼가 날아와서 무척 성가셨다. 겨우 1킬로미터쯤 걸었나? 그때부터 후회가 됐다. 그냥, 이렇게까지 할 일이 아니라는 생각이 들었다. 그러나 나는 조금 더 걸었고, 걷다가 자전거를 대여했다. 자전거를 타니까 마냥 걷는 것보다는 수월했다. 나는 그렇게 조금 더 위로, 사람들이 찾지 않는 잡초가 우거진 구역까지 나아갔다. 그러나 그렇다고 해서 준희에 대해서 뭔가 알게 되는 것은 아니었다. 걔는 어쩌자고 이런 데서 일주일을 보냈을까? 나는 자전거를 멈추고 얼굴에 달라붙은 날벌레들을 떼어 내면서 생각했다. 다시 자전거를 타면 그런 생각은 잊혔다.

준희가 있었을 법한 자리를 발견한 건 날이 어둑해지던 무렵이었다. 풀숲 한가운데에 동그랗게 풀이 눌린 자국이 있었다. 그러니까 준희 정도의 몸집을 가진 사람이 웅크리고 있을 만한 공간이 있었다. 나는 자전거를 세워 두고 그걸 내려다봤다. 그리고 곧 그 자리가 꼭 누군가가 머물렀던 흔적은 아니라는 생각을 했다. 비바람에 꺾이거나 강물이 범람했을 때 바위 같은 것이 있었던 자리일 수도 있다. 아니면 커다란 들개 같은 것이 앉았던 곳이거나. 나는 그런 생각들을 하면서 다시 자전거에 올랐다. 언젠가 준희와 함께, 비 오는 날 길고양이들이 머물 수 있게 아파트 화단에 우산을 놓아 주던 일이 생각났다. 폭우가 쏟아지던 날이었는데도 우리가 가져다 놓은 우산 아래로 비를 피한 고양이는 한 마리도 없었다. 다들 비를 피할 수 있는 공간이 있었거나 비 맞는 것쯤이야 아무렇지 않았던 모양이었다. 준희도 그러기를 바랐다. 나는 열심히 페달을 밟았다. 그렇게 사람들이 여전히 배드민턴을 치고 맥주를 마시는 곳으로 돌아갔다.

작가의 말

학교 폭력을 주제로 한 단편 소설을 청탁받은 뒤, 제법 많은 청소년 관련 서적을 찾아 읽었다. 덕분에 좋은 책을 많이 읽을 수 있었지만, 직접적으로 도움받았던 책은 거의 없었다. 책을 읽으면 읽을수록, 무언가를 기피하기 위해 모르는 사람들이 쓴 책을 읽는 것 같다는 생각이 들었다. 청소년기를 기억하는 일, 내가 의도적으로 지워 버렸던 교실 뒤쪽의 풍경을 떠올리는 일이 어렵고 힘들었다. 청소년 시절 내가 했던 나쁘고 비겁한 선택들이 지금의 나를 구성하는 일부가 되었다고 생각한다. 소설을 쓰는 동안 과거의 나를 설득하려고 노력했다. 조금 더 괜찮은 사람이 될 수 있는 기회를 놓치지 말라고 말하고 싶었다.

(06)

기의 휘파람

박영란

지은 책으로 청소년 소설《나로 만든 집》,《안의 가방》,《가짜
인간》,《쉿, 고요히》,《게스트하우스 Q》,《편의점 가는 기분》
등과 동화《옥상정원의 비밀》이 있다.

기를 처음 본 날이었다. 골목 입구 편의점 앞에 모여 선 아
이들이 어느 집 옥상을 가리키면서 수런거리고 있었다. 아이
들이 가리킨 옥상에 누군가 서 있었다. 난간에 너무 바짝 붙
어 서 있어서 아찔해 보였다.

"저 형 나왔네."

"왜 저렇게 위험하게 서 있어?"

"새를 부르려는 거래."

"옥상에 서 있으면 새가 온대?"

"휘파람을 불어야지."

"그러면 새가 정말 와?"

"온대."

와. 터졌던 환성이 가라앉자 한 아이가 물었다.

"새를 불러서 뭐 하는데?"

아이들은 서로의 얼굴을 살폈다. 새를 불러내서 뭘 하려는
지 아는 사람이 나오기를 간절히 원하는 것 같았다. 하지만
나서는 아이는 없었다. 그러니까 저 옥상 난간에 서 있는 사
람이 휘파람을 부는 건 사실이지만, 휘파람 소리로 새를 불
러낸다는 말은 아이들이 지어낸 환상적인 이야기라고 생각
했다.

호로로로로.

호로로.

밤이 깊어지면 그 소리가 났다. 처음엔 골목 어느 집에서
키우는 새의 울음소리라고 생각했다. 가늘고 긴 울음소리를
내는 새. 먼 열대의 숲에서 이곳까지 실려 온 낯선 새가 밤이
되면 우는 걸지도 모른다고 생각했다.

아이들 말이 아주 틀리지 않을지도 몰랐다. 누구든 아무
의미 없이 밤마다 옥상에 나가 휘파람을 불지는 않을 것이다.
누군가에게 보내는 신호일지 몰랐다. 낮고 길게 이어지는 신
호. 당사자들끼리만 아는 신호. 어쩌면 정말 새를 부르는 신
호일 수도 있었다. 하지만 답이 들리거나 새가 날아드는 기
척은 없었다.

골목으로 들어서면 그 집 옥상을 올려다보는 습관이 들었
다. 옥상에 기가 보이지 않으면 마음이 놓였다. 기가 난간 가
까이 나와 있으면 기의 눈에 띄지 않고 지나가려 애썼다.

휘익.

선명하고 짧은 휘파람 소리였다. 열 살쯤 된 아이가 엄마
손에 이끌려 빠르게 걸었다. 아이가 엄마 손에 끌려가면서도
옥상을 향해 손을 흔들었다. 그러자 기가 화답하는 양 소리
를 길게 뺐다.

"손은 왜 흔들어."

아이를 향해 엄마가 채근했다. 그 골목에 사는 사람들이
대체로 그렇듯이 아이 엄마도 기를 피하고 싶어 하는 것 같
았다.

"인사한 거야."

"다음부터는 모른 척해."

"인사해야 돼."

"왜?"

"형 생일에 초대받았었단 말이야. 옥상에서 치킨이랑 케
이크도 먹었어."

"생일이면 자기 친구들을 불러야지 어린애들은 왜 불러?"

"재미있는 이야기도 해 줬어."

"무슨 이야기?"

"우리는 저 형이 새를 부르려고 휘파람 부는 줄 알았거든. 그런데 사실은 우는 거랬어."

"울어?"

"새 이야기는 형이 지어낸 거래. 운다고 하면 창피하니까 새를 부르는 척하면서 휘파람 부는 거래."

"다른 사람이 왜 울어?"

"그건 몰라."

"아무튼, 이제부턴 저 집 옥상에 올라가지 마."

아이는 엄마 손에 이끌려 골목 안쪽의 어느 집 대문 안으로 들어가면서 기를 향해 다시 손을 흔들었다. 그러자 기는 휘파람으로 답했다.

나는 아무것도 보지 못하고 듣지도 못한 것처럼 휴대 전화를 들여다보면서 걸었다. 그런 나를 기가 내려다보는 것 같았다.

다른 날보다 일찍 시작된 휘파람이 자정이 지나서까지 계속되었다. 불을 끄고 누워 있다가 다시 일어났다. 어두운 방 안을 서성이다가 옥상으로 올라갔다. 한밤에 옥상에 올라간

건 처음이었다.

기의 옥상이 잘 보이는 난간 쪽으로 다가섰다. 기가 산다
는 옥상 방은 불이 밝혀져 있지 않았다. 기의 집 대문 옆에 밝
혀져 있는 가로등 빛의 역효과로 기의 옥상은 더욱 어두웠다.
하지만 어두운 옥상 난간 가까이 기가 서 있는 것은 보였다.

한참 동안 기의 휘파람 소리를 듣고 서 있었다. 기는 그저
휘파람을 부는 게 취미인 사람일지 몰랐다. 어쩌면 지루함
과 외로움을 달래려고 밤이면 옥상에 서 있는 건지도 몰랐다.
휘파람 소리가 위험하지도 않고, 새를 부르는 신호도 아니라
고 생각하자 마음이 편해졌다.

곤두선 신경을 풀고 길게 이어지는 그 소리에 귀를 기울이
고 있던 어느 순간이었다. 동네 저편 낮은 산 어둠 속에서 검
은 점 한 무리가 날아오르는 것이 보였다. 처음엔 구름같이
도 보이던 검은 무리는 새 떼였다. 새 떼는 창공에서 그물처
럼 퍼져 나가다가 이내 무리를 추스르고 서서히 우리 골목 쪽
으로 오고 있었다. 문득, 새 떼가 기의 옥상을 향하고 있다는
것을 알았다.

갑자기 휘파람 소리가 툭 끊겼다. 기가 내 쪽을 올려다보
았다. 나를 발견한 것 같았다. 어둠 속에서 기의 눈빛이 느껴
졌다. 나는 뒤로 몇 발짝 물러섰다. 숨죽이고 있다가 다시 하

늘을 보았을 때 새 떼는 없었다.

*

고등학교를 졸업하자마자 나는 고시원으로 들어가겠다
고 했다. 반대를 하면서도 어머니는 방을 알아봐 주었다. 집
에서는 멀고 학원 다니기엔 수월한 이 동네에 방을 구해 주었
다. 집주인이 오래전 어머니 직장 친구가 아니었다면 어머니
도 쉽게 결정하지 못했을 것이다. 어머니는 내가 입시 준비
때문에 고시원에 들어가려는 줄 알았다. 나는 살던 동네에서
벗어나려고 집을 나온 거였다. 그때는 그 생각뿐이었다. 그
지역에서만 벗어나면 숨을 쉴 수 있을 것 같았다.

이 동네에서는 아무도 나를 알아보는 사람이 없었다. 나는
몇 달 전의 내가 아니라 완전히 다른 사람처럼 지냈다. 어른
이 된 지 오래된 사람인 양 위장하고 살았다.

골목 입구에 있는 뷔페 식당에 자주 갔다. 도자기 식기류
를 만들어 팔던 공방이 나간 자리에 골목에 사는 누군가가 식
당을 냈다고 들었다. 집에서 가깝고 몇 가지 요리가 입에 맞
아 자주 이용하면서 골목 소문을 듣게 되었다. 그날도 골목
사람들이 식당에 모여 앉아 이야기를 나누고 있었다.

"요즘 좀 유난하지?"

"그제는 새벽까지 불던걸."

"딱하기도 하지. 학교도 그만두고 옥상에 틀어박혀서."

"며칠 전에 그 집 부부 왔다 가던데."

기와 기의 가족 이야기가 뒤섞였다. 기의 가족은 기가 초등학교에 입학할 무렵 그 골목으로 이사 왔다고 했다. 그때는 할머니도 있었다. 기의 부모는 직업 때문에 집을 비웠고, 손주들을 보살핀 건 할머니였다. 기의 가족이 처음 이사 왔을 때 살던 집은 골목 입구에 있었다. 대문에서 현관으로 가려면 벽면을 따라 거의 한 바퀴를 돌아야 했고, 가파르다 싶은 계단이 있는 집이라고 했다.

"그 집에서 할머니가 고생 많이 하셨지."

"손주 셋을 다 키우자니 허리인들 남아나?"

기의 할머니는 허리가 기역 자로 굽어 있었다. 그 구부러진 허리 때문에 동네 아이들한테 종종 놀림거리가 되곤 했는데, 한번은 기가 아이들을 위협했다.

"우리 할머니 한 번만 더 놀리면 가만 안 둘 줄 알아!"

그때 기의 표정과 태도에 아이들은 물론이고 어른들까지 겁에 질렸다고 한다.

기가 중학생이 되던 해 기의 부모는 지금의 집을 사서 3층으로 들어갔다. 그리고 기가 고등학생이 되던 해 봄에 할머니가 세상을 떠났다. 할머니 장례가 끝나자 기의 부모는 다시 집을 나섰다. 집에는 기와 누나 부부, 동생이 남았다. 기의 누나는 스무 살에 결혼했는데, 결혼해서도 그 집에 살면서 살림을 맡았다.

언제부터인가 밤이 되면 기가 옥상 난간에 바싹 다가서서 동네를 내려다보기 시작했다고 한다. 그러곤 또 어느 날부터 휘파람을 불기 시작했다는 것이다. 기의 행동이 이상하다는 생각은 했지만 기가 왜 하필 그런 행동을 반복하는지 정확하게 아는 사람은 없었다. 기의 행동이 불편하다는 민원도 종종 있었다고 한다. 민원은 골목에 새로 이사 온 사람들한테서 나오곤 했다.

기의 부모는 전국의 시장을 돌면서 물건을 판다고 했다. 한 달에 두어 번 집 앞에 세워져 있던 검은 승합차를 나도 본 적이 있다. 지붕을 한껏 높이고 온통 검은색으로 코팅한 승합차 주변에 아이들이 몰려들곤 했다. 아이들은 차 안을 들여다보려고 차에 달라붙었다.

"그래 이놈들아, 내가 바로 가수다."

굵고 거친 목소리와 함께 노랗게 염색한 긴 머리칼을 하나로 묶은 사람이 기의 집 대문에서 나왔다. 아랫단에 레이스가 겹겹이 달린 분홍 스커트와 그 위에 무릎까지 내려오는 흰 치파오를 겹쳐 입고, 높은 굽 고무신을 신은 그 사람이 기의 어머니였다. 아이들이 놀라 달아나자 기의 어머니가 차 문을 열고 멈춰 서서, 구경 중이던 몇몇 사람을 향해 뭔가 말을 하려다가 관두자는 듯 차 문을 활짝 밀어젖혔다. 문이 열리자 차 안 풍경이 드러났다. 온갖 잡동사니들 사이에 드럼 세트와 전자 피아노, 트럼펫 같은 악기들이 보였다. 나중에 들은 소문에 의하면 기의 아버지가 그 악기들을 다루는 연주자라고 했다.

"전국 시장을 돌면서 공연하는 것 같더라고."

"만병통치약 같은 거 판다던데?"

"구충제겠지."

골목 사람들은 기의 부모에 대해 여러 이야기를 주고받았지만 정확히 아는 것 같지는 않았다. 사람들이 아는 건 기가 밤이면 옥상 난간에 나와 서 있고, 기의 부모는 직업 때문에 집을 비우다시피 하고, 기의 누나 부부가 한집에 살면서 살림을 보살핀다는 정도였다.

사람들은 기의 부모에 대해서는 거침없이 추측했지만 막상 기에 대해서 말할 때는 조심스러워 했다.

"내 앞에 뛰어내릴까 봐 조마조마하다니까."

"어제는 난간 위에 올라서 있더라고."

"그 휘파람이나 좀 안 불었으면 좋겠어."

"갑자기 소리가 툭 끊기면 혹시나 해서 내다본다니까."

"가슴이 철렁할 때가 있어."

그 골목 사람들은 어느 날 문득 기가 옥상에서 뛰어내릴까 봐 두려워하고 있었다. 그래서 어떻게 하면 기가 옥상 난간에 서 있지 못하도록 할 수 있느냐는 말이 나온 적도 있는 모양이었다. 기가 밤이면 옥상 난간에 서 있는 것은 기의 위험일 뿐 아니라, 골목 사람들한테도 위협이었다. 언제 험한 일을 목격할지 알 수 없다는 두려움을 늘 안고 살아야 했다.

기의 투신을 목격할지도 모를 두려움에 더해 다른 불편함도 있었다. 기가 옥상에 서서 다른 집 방 안을 들여다볼지도 몰랐다.

그 일을 항의하려고 몇 사람이 모여 기의 누나를 찾아간 적도 있다고 했다. 하지만 기의 누나는 어쩔 수 없다는 말만 했다.

"가만두면 알아서 그만둘 거예요."

"불안해서 어디 살겠어요?"

"신경 쓰지 마세요. 그냥 바람이나 좀 쐬는 거예요. 누굴 해코지하거나 말썽 일으킨 적도 없잖아요?"

사실 그랬다. 기가 옥상 난간에 서 있다고 해서 이렇다 할 말썽을 실제로 일으켰다는 말은 없었다. 잇닿아 있는 옆집 옥상으로 넘어간다거나, 뛰어내린다거나, 누군가를 위협한다거나, 어느 집 방 안을 들여다본다거나 하는 일들 말이다. 하지만 걱정은 또 있었다.

"애들을 왜 자꾸 옥상으로 불러 올린답니까?"

아이를 키우는 부모들은 어린아이들이 고등학교 중퇴생인 기와 어울리는 게 불안할 것이었다. 게다가 옥상에서 어울려 논다는 건 더욱 그랬다. 그 민원에 대해 기의 누나는 이렇게 답했다고 한다.

"애들이 올라가는 걸 어떻게 막아요. 불러 올리는 게 아니라, 애들이 자꾸 우리 동생을 찾아 올라간다구요. 옥상에 못 올라가도록 철문이라도 달까요?"

"문 달아요. 어린애들이 옥상에 드나들다가 사고라도 나면 정말 큰일이니까."

사고 난다는 말에 기의 누나는 잠시 입을 닫고 더 이상 말을 잇지 못했다. 골목 사람들은 한꺼번에 몰려가 너무 몰아붙인 것은 아닌지 서로 눈치를 살피면서 물었다.

"대체 왜 그런답니까?"

"뭘요?"

"그 휘파람 소리요."

"그 속을 누가 알겠어요."

기의 누나도 기가 왜 그런 행동을 하는지 알 수 없다는 말뿐이었다. 기의 누나는 이렇게 덧붙였다.

"할머니 돌아가시고 애가 마음을 못 잡아요."

할머니 이야기가 나오자 골목 사람들은 더 이상 불평할 수 없었다. 기의 할머니를 아는 사람들은 할머니를 생각해서라도 기의 행동을 이해해 줘야 한다고 생각하는 모양이었다.

새 떼를 본 날 이후 나는 종종 옥상에 올라갔다. 기가 정말 휘파람으로 새를 부르는 건지도 몰랐다. 골목을 향해 날아오던 새 떼를 내가 잘못 본 것이 아니라면 아이들 이야기가 맞을지도 몰랐다. 착시라기엔 그날 밤 보았던 새 무리가 너무 선명했다. 그 새 떼를 확인하고 싶었다.

"저 소리가 신경 쓰이나 보네?"

언제 올라왔는지 아주머니가 속삭이듯 물었다. 아주머니 딸인 경이도 있었다. 내가 답을 하지 못하자 아주머니가 다시 물었다.

"차 한잔할까?"

아주머니는 들고 온 쟁반을 캠핑용 테이블에 올리고 의자를 끌어내 앉도록 권했다. 경이는 옥상에서 가장 어두운 모서리 쪽으로 걸어갔다. 강낭콩과 오이 넝쿨이 높게 세운 설치대를 뒤덮어 유독 어둠이 짙은 모서리에 섰다.

젊은 시절 어머니와 직장에서 만나 친구가 된 아주머니는 결혼하면서부터 이 동네서 살아왔다. 그래서 이 동네가 어떻게 변해 왔는지 훤히 안다고 했다. 아주머니는 주변의 모든 집들이 다세대 주택으로 바뀌어도 단독을 고집하다가, 원룸 건물을 가장 먼저 올린 경우였다. 건물 5층은 아주머니 가족이 사용하고 나머지는 세입자를 들였다.

건물을 올리고 아주머니가 가장 먼저 한 일이 옥상에 텃밭을 만든 거라고 했다. 아주머니는 어두운 옥상 구석구석을 손으로 가리키면서 강낭콩, 백오이, 가지, 토마토, 옥수수, 감자, 참깨, 들깨, 작약, 둥굴레를 일일이 호명했다. 아이들이라도 소개해 주는 것 같았다. 나는 아주머니가 가리키는 나무 박스들을 눈으로 좇았다. 그런 나를 물끄러미 쳐다보던 아주머니가 나직하게 속삭였다.

"저 집 아들 크는 거 내가 다 봤지."

기가 있는 옥상 쪽을 한참 건너다보다가 아주머니가 다시 속삭였다.

"우리 경이하고 같이 자랐어."

기와 아주머니 딸 경이는 같은 초등학교와 중학교에 다녔고, 고등학교도 같은 학교였다. 중학교 3학년 때는 같은 반이었다. 중학생이 되면서부터 둘이 친하게 어울린 적은 없지만 적대한 적도 없다고 했다.

기는 어릴 때부터 악기를 잘 다루었다. 기와 경이는 플루트 교습을 같이 받았는데 가르치는 선생님이 기를 유독 칭찬했다. 하지만 기 자신은 악기 연주에 별다른 의미를 두지 않는 것 같았다고 한다. 그냥 하면 하는 일, 정도로 생각하는 것 같았다.

기와 경이는 같은 학원에도 다녔다. 학원 교사들 말에 의하면 기는 예의 바른 학생은 아니지만 무례한 적도 없었다. 성적에 신경을 쓴다 싶으면 점수가 잘 나오고, 소홀하다 싶으면 내려가는 평범한 학생이었다. 기의 부모는 학교나 학원에 다녀가지 않았다. 부모가 꼭 가야 할 자리에도 빠졌다. 그런 자리에는 아주머니가 대신 보호자가 되어 주기도 했다. 꼭한 번 중학교 졸업식 때 기의 부모 두 사람이 참석했다.

"순한 아이가 그런 일에 휩쓸려 힘들었겠지."

기는 중학교 3학년 때 '그 아이들'한테 시달렸다고 한다. 기뿐 아니라, 많은 아이가 크고 작은 괴롭힘을 당한다. 괴롭힘이 시작되면 같은 학교에 다니고 있는 이상 피할 길이 없다. 기는 중학교를 졸업할 때까지 괴롭힘을 견디다가 고등학교에 진학하면서 겨우 벗어나게 되었다.

기와 경이는 같은 고등학교에 진학했다. 기를 괴롭히던 아이들은 제각각 흩어졌다. 고등학교에 진학하면 흩어지게 되기도 하지만, 별다른 경우가 아닌 한 중학생 때처럼 몰려다니면서 괴롭히는 일은 잦아들게 되었다.

고등학교에 진학한 봄에 기의 할머니가 세상을 떠났다. 그 무렵부터 기는 학교에 나가지 않고 검정고시를 준비한다고 했다. 기가 옥상에서 휘파람을 불기 시작한 것도 그즈음이었다.

"잘 참다가 더는 견디지 못한 모양이야."

괴롭힘을 오래 견딘 끝에 할머니까지 세상을 떠났으니 마음 둘 데가 없었을 거라고 하면서 아주머니는 쟁반을 챙겨 들고 일어섰다. 아주머니가 출입구 쪽으로 걸음을 옮기자 모서리에 숨은 듯이 서 있던 경이가 뒤를 따랐다. 경이는 출입구를 향해 가면서 나를 향해 손을 들었다 내렸다.

아주머니는 기가 한밤에 옥상에 나와 서성이면서 휘파람 부는 것을 내가 못마땅해한다고 생각한 모양이었다. 공부에 집중하려고 이곳에 와 있는데 방해를 받으면 어쩌나 하는 걱정이 앞선 걸 수도 있었다. 그래서 그런 이야기를 해 준 거라고 생각했다.

아주머니가 내려간 뒤 나는 다시 기의 옥상이 잘 보이는 난간 쪽으로 다가섰다. 기는 여전히 옥상 난간 가까이 서 있었다. 휘파람 소리는 없었다. 어쩌면 내가 옥상에 서 있는 것을 알지도 모른다는 생각이 들었다.

*

아파트 단지로 이루어진 동네에 사는 아이들은 모두가 서로를 안다. 그 친구와 나는 어릴 때부터 같은 아파트에 살았고, 같은 초등학교와 중학교에 다녔다. 유별난 단짝은 아니었지만 서로에 대해 잘 아는 사이였다. 그 친구가 중학교 2학년 때 괴롭힘을 당했다. 친구도 괴롭힘당하는 이유를 몰랐다.

처음엔 친구가 학교 복도를 지나갈 때 한 아이가 실수인 척발을 걸어 넘어트렸다. 그렇게 시작된 괴롭힘은 한 학기 내내 이어졌다. 처음 괴롭힘을 당할 때 친구가 대처를 잘못한 것일 수도 있다. 강력하게 저항하고 주변에 알렸어야 한다고 생각했다. 친구도 내 생각이 맞는 것 같다고 했다. 나는 친구를 도와주고 싶었다. 그래서 하루는 복도에서 친구를 향해

거침없이 뛰어오는 둘을 막아섰다. 내가 막아섰어도 친구는
결국 뒤로 주저앉았다. 그런데 그 일이 있은 뒤부터 그 아이
들은 친구 대신 나를 괴롭히기 시작했다.

나를 괴롭히던 그 아이들도 어릴 땐 친구들이었다. 나는
어쩌면 그 점을 믿었던 건지도 몰랐다. 같은 초등학교에 다
니면서 같이 어울리기도 했던 친구들이 그렇게까지 할 리는
없을 거라고 생각했다. 하지만 그 아이들은 어느 시점부터
달라져 있었다. 무엇이 그 아이들을 달라지게 했는지는 모른
다. 각자의 사정과 이유가 아이들을 내몰았고, 무리 지어 서
로를 보호하도록 했을지도 모른다. 무리에 속한 아이들은 오
직 무리에만 통용되는 규칙에 따라 움직인다. 그 아이들은
무리의 누군가가 조롱을 당하거나 억울한 일을 겪으면 되갚
아 주는 일에 힘을 모은다. 그들한테는 '무리'가 전부다. 자
신들이 구축한 작은 세계만이 자신들을 지켜 준다고 여긴다.

고등학교에 진학하고 한동안 잊고 지냈다. 중학교 때 나
를 괴롭히던 아이들과 마주칠 일도 없었다. 그런데 고3이 되
어 그 아이들 중 한 아이와 같은 반이 되었다. 나는 중학생 때
있었던 일을 티 내지 않으려고 애썼다. 하지만 그 아이는 잊
지 않고 있었다. 괴롭히던 상대를 잊지 않았을 뿐 아니라, 그
점을 자랑스럽게 생각하는 것 같았다. 혼자서는 전처럼 누군

가를 괴롭히지 못한다는 것을 그 아이도 알고 있었다. 하지만 괴롭혀 본 경험치를 가지고 있었다. 괴롭힐 때 상대가 얼마나 모멸감을 느끼는지 기억하고 있었다. 나와 눈이 마주칠 때면 그 아이는 빙긋이 웃었다. 그 웃음은 겁먹었던 내 모습을 기억하고 있다는 거였다.

고등학교를 졸업하자마자 그 동네를 떠나려고 한 건 그 이유였다. 나를 보고 비웃던 아이를 그 동네에서 다시 마주친다면 내가 어떻게 할지 두려웠다.

＊

가끔 경이와 어울리곤 했다. 경이는 내 공부를 방해하지 않으려고 조심하면서도 나와 어울리고 싶어 했다. 어느 휴일 밤에 경이가 내 방으로 내려왔다. 문제집을 들고 내려온 걸 보니 나한테 도움받으러 간다는 핑계를 대고 온 모양이었다. 하지만 문제집은 테이블 위에 던져 놓고 소파에 늘어졌다. 아무 방해도 없이 늘어져 있을 장소가 필요한 거였다. 우리는 한 공간에 있었지만 각자의 시간을 보냈다.

"소리 들려요?"

경이가 몸을 일으켜 앉으면서 속삭였다. 벌써 한참 전부터 나는 기의 휘파람 소리에 귀를 기울이고 있었다. 그동안 경이는 기 이야기를 하지 않았는데 그날 처음으로 기 이야기를 꺼냈다.

"쟤는 휘파람보다 리코더를 잘 불어요."

기가 옥상에서 리코더를 분 적도 있는지 물어보려다가 머뭇거렸다. 내 생각을 얼핏 알았는지 경이가 말을 이었다.

"중3 때 학교에서 리코더를 불었어요."

음악 수업의 과정이었는데 기의 리코더 연주가 끝나자 모두 탄성을 질렀다고 했다. 그 뒤 기의 리코더 연주는 교내에서 큰 인기를 끌었다. 행사가 있을 때는 물론이고 평소에도 선생님과 아이들은 자주 리코더 연주를 요청했다. 수업 시작하기 전에 기의 리코더 연주부터 듣는 일도 다반사였다. 수업이 시작되면 다른 반 아이들까지 기의 리코더 연주를 기다렸다. 리코더 연주 없이 곧바로 수업이 시작되면 옆 교실에서 우우, 원성이 터졌다.

그런데 바로 그 리코더 연주 때문에 기한테 그 일이 생긴 것 같다고 했다. 기가 어떤 일로 '그 아이들'한테 빌미를 잡혔는지 정확하게는 모르지만 리코더 연주와 관련이 있는 것 같다고 했다.

언제부터인가 쉬는 시간이 되면 '그 아이들' 무리에 속한 아이들이 번갈아 가면서 기를 툭, 치고 가거나 책상 위에 있는 물건을 떨어트렸다.

학교에는 그런 사소하면서도 귀찮은 일을 당하는 아이가 늘 몇 명쯤 있었다. 웃음소리나 별생각 없이 한 말이나 혹은 차림새가 '그 아이들'의 신경에 거슬려 괴롭힘을 당했다. 아이들은 '그 아이들'의 눈총을 받지 않도록 조심하곤 했다. 한 번 눈에 거슬리면 괴롭힘을 견뎌야 했다. 짧게는 일주일, 길게는 한 학기, 혹은 1년 이상 괴롭힘을 당하는 경우도 있었다. 복도에서 머리를 툭 치고 지나간다거나 단체로 비웃으면서 지나가는 놀림이 언제 끝날지 몰랐다.

학교 안에서 모멸을 견디는 방식은 스스로를 다독이는 것뿐이었다.

'누구든 무작위로 당할 수 있다.'

'다른 상대를 찾거나 재미없어지면 끝날 것이다.'

가까운 친구조차 이렇다 할 도움을 주지 못했다. '그 아이들'의 관심에서 멀어지기를 기다릴 뿐이었다. 그런데 기에 대한 '그 아이들'의 관심은 중학교 3학년 내내 이어졌다. 고등학교에 진학해서야 '그 아이들'한테서 벗어났다. 이제 벗어났다고 생각했는데 기는 학교까지 그만두고 옥상에 틀어박혔다.

"사람들은 기가 왜 저러는지 진짜 이유를 몰라요."

경이는 주변 사람들과 어른들은 기를 모른다고 했다. 기가 왜 1년 이상 저런 행동을 하는지 모르고, 기가 어떤 생각을 가진 사람인지도 모른다고 했다.

"기는 좀 다른 괴롭힘을 당했어요."

기는 '그 아이들' 패거리에 들어오기를 요구받았다. 요구는 집요했다. 거의 한 학년에 걸쳐 회유와 괴롭힘이 이어졌다. 소문으로는 하굣길에 '그 아이들'이 기를 어딘가로 끌고 간 적도 여러 번이라고 했다.

"차라리 요구를 들어주는 게 편했을 거예요."

요구를 받아들여 한 무리가 된 아이도 있었다. 한 무리가 되면 학교생활은 편했을 거였다. 당하지 않아도 될 괴롭힘을 당할 필요도 없었다.

"그런데 기는 그렇게 할 생각이 없었어요."

경이와 기는 거의 대화를 하지 않았지만, 단 하루 긴 이야기를 나눈 적이 있다고 했다. 시험이 끝난 날이었다. 그날 둘은 사거리에서 우연히 만나 함께 언덕을 올랐다. 경이가 먼저 말문을 열었다. 무슨 용기가 났던지 속에 있던 말을 털어놓았다고 했다. 괴롭힘 그만 당하고 그 아이들 요구를 들어주라고 했다. 그래도 괜찮다고. 아무도 너를 비난하거나 욕하지 못할 거라는 말을 쏟아 놓았다. 그때 기가 이렇게 답했다고 한다.

가해자가 되지는 않을 거다.

"가해자?"

"네. 가해자가 되지 않을 거라고 했어요."

기의 말에 경이는 반박했다. 그냥 '그 아이들'하고 잘 지내라는 거라고. 그러면 널 괴롭히지는 않을 거라고. 다른 사람을 괴롭히라는 게 아니라 너 자신을 지키라는 말을 했다.

"그런데 기는 그게 바로 가해자가 되는 거라고 했어요."

가만히 듣고 있는 나를 향해 경이가 불쑥 물었다.

"가해자라는 말을 어떻게 생각해요?"

"어떻게 생각하다니?"

"그 애들이 범죄자라고 생각해요?"

"범죄?"

"그 아이들이 하는 짓이 범죄냐고요."

나는 그때까지만 해도 '그 아이들'이 하는 짓이 범죄라고 생각지 못했다. 그런데 그때 처음으로 그 일이 범죄라는 생각이 들었다. 하지만 경이를 앞에 두고 어떤 답을 해야 할지 몰랐다.

"기는 범죄라고 생각한 거예요. 그래서 가해자가 되지 않겠다고 한 거예요."

경이 역시 괴롭힘 피해자가 되는 기분을 알고 있다고 했
다. 중2 때 알 수 없는 이유로 아이들이 괴롭힌 적이 있었다.
하지만 그 일은 역시 알 수 없는 이유로 며칠 만에 끝났다. 그
일이 있은 뒤 '그 아이들' 눈에 띄지 않으려는 습관이 붙었다.
두드러지는 행동이나 말, 차림새는 삼가고, '그 아이들'과는
눈도 맞추지 않았다. '그 아이들' 눈에 띄지 않는 게 자신을
방어하는 최선의 방식이었다.

시간이 꽤 지났지만 경이한테 그때 일은 생생하게 남아 있
었다. '그 아이들'이 누군가를 괴롭힐 때 그 표정과 태도. 괴
롭힘을 당하는 자신의 표정과 몸짓. 그리고 언젠가 그 고통
을 되돌려 줄 거라고 했다. 그 말을 해 놓고 경이는 한참 입을
닫았다. 경이가 다시 꺼낸 이야기는 기의 부모 이야기였다.

"그날 기가 자기 부모님 이야기를 해 줬어요."

기의 부모는 젊은 시절 함께 밴드를 했었다고 한다. 큰 인
기를 끌어 본 적도 없고 굉장한 실력을 가진 것도 아닌 사람
몇이 모인 밴드였다. 기의 어머니가 노래를 부르고 기의 아
버지는 때에 맞춰 이런저런 악기를 다뤘다. 더 이상 젊다고
할 수 없는 나이가 되고, 밴드도 해체되고, 기가 초등학교에
들어갈 무렵 두 사람은 다른 일을 시작했다. 전국의 시장들

을 돌면서 장사하는 상인 단체의 일원이 되었다. 그 단체에서 공연을 하면서 사람들을 끌어모으고 그때그때 준비된 상품을 팔았다.

기가 자신을 괴롭히는 아이들에 대해 딱 한 번 부모한테 말한 적이 있었다. 학교의 다른 친구 이야기인 것처럼 무심하게 의논했는데, 그때 기의 부모가 신문 기사에 난 두 판사의 이야기를 해 줬다고 한다.

첫 번째는 어린 시절에 자신을 괴롭히던 상대를 법정에서 만난 판사 이야기였다. 어른이 되어 한 사람은 범죄자가 되고 다른 사람은 판사가 되어 만난 것이다. 또 다른 이야기는 폭행으로 재판을 받게 된 한 소년을 맡은 판사 이야기였다. 그 판사는 거듭 폭행 범죄를 저지르는 소년에게 한 달간 세상의 아름다운 유적지를 여행할 기회를 주었다고 한다. 여행 비용을 정부에서 제공하라는 판결과 함께.

"기의 부모님이 그 두 경우에 대해 생각해 보라고 했대요."

"두 경우라니?"

"첫 번째 판사가 어떤 판결을 내렸을지, 그리고 두 번째 판사가 왜 그런 판결을 내렸는지도 생각해 보라고 했대요."

"기는 어떻게 생각한대?"

"피해를 당했다고 해서 가해자가 될 필요는 없다고 생각한

대요."

"너는 어떻게 생각해?"

"나는, 아직 생각 중이에요."

경이가 그렇게 말하면서 문제집을 말아 들고 일어섰다.

기의 휘파람은 며칠 밤 계속되다가, 한동안 들리지 않을 때도 있었다. 그러면 마음이 편했다. 어쩌면 기가 마음을 잡았을지도 몰랐다. 더 이상 휘파람을 불지 않아도 감당할 수 있게 되었을지 몰랐다. 가해자가 되지 않으려 애를 쓰는 기의 신호를 다시 듣지 않아도 좋았다.

호로로로.

호로로.

하지만 다시 밤이 되고 그 소리가 들리기 시작하면, 그 소리가 자정이 지나도록 이어지면, 나는 옥상으로 올라갔다. 어둠 속에 숨어서 저 멀리 낮은 산을 바라보았다. 아무도 보지 않는 어느 순간이 되면 새 떼가 날아오를지도 몰랐다.

작가의 말

─ 모르는 아이를 위하여.

어느 날 저녁에 동네를 산책하다가 리코더 소리를 들었다. 능숙하게 연주하는 소리가 아니었다. 한 아이가 수행 평가를 앞두고 연습하는 것 같았다. 아이는 잘 안 되는 부분을 연거푸 다시 불고 있었다. 나는 천천히 걸어가면서 답답한 구간이 자연스럽게 연주되기를 바랐다.

그 골목을 벗어나 리코더 소리가 들리지 않자 나는 다시 골목 안으로 걸어 들어갔다. 다른 날 같으면 동네를 크게 한 바퀴 도는 산책을 하는데 그날은 리코더 소리를 들으려고 그 골목 주변을 돌았다.

천천히 걸어가면서 나도 모르게 아이를 응원하고 있었다. 잘되지 않아 애쓰던 부분이 자연스럽게 연주되기를. 그러자면 될 때까지 연습하는 수밖에 다른 방법이 없을 텐데, 아이가 포기하지 않기를. 나는 아름다운 리코더 소리를 듣는 것보다, 아이가 연습을 포기하지 않기를 바랐다.

'아이야, 작은 일이라도 기어코 해내는 경험을 하렴. 가슴 벅차게 하는 크고 작은 일들을 많이 경험해 두렴. 그래서 살아가는 내내 너를 찾아올 수많은 비극과 폭력을 담담하게 마주하고 나아갈 힘을 기르렴.'

모르는 아이를 온 마음으로 응원했다.

'기'가 나를 찾아온 건 그날이었을지 모른다. 하지만 나는 오랜 시간이 지나서야 〈기의 휘파람〉을 쓰게 되었다.

창비교육의 여러분께 감사드린다.

07

우연한 작별

김화진

2021년 《문화일보》 신춘문예에 단편 소설 〈나주에 대하여〉
가 당선되며 작품 활동을 시작했다.

연선이를 다시 만난 건 설날이었다. 하늘이 끄무레했고 굵
은 눈발이 떨어지고 있었다. 우리는 자동차를 타고 마을 입
구를 지나치던 중이었다. 마을 초입에는 오래된 느티나무가
서 있었다. 익숙한 풍경이었다. 마을에 들어서는 우리를 가
장 먼저 반겨 주는 건 언제나 낮은 낭떠러지 끝을 오래된 뿌
리로 부여잡고 가까스로 서 있는 커다랗고 늙은 나무였다.
설날이면 외가에 들렀고, 늘 그 나무를 봤다. 그 익숙한 풍경
을 배경으로 낯선 두 사람이 서 있는 게 보였다. 키가 큰 여자
와 건장해 보이는 남자였다. 두 사람은 담배를 피우며 이야
기를 나누고 있었다. 나는 연선이를 알아보지 못했다. 먼저
알아본 것은 아빠였다.

"쟤, 연선이 아니냐?"

"연선이?"

나는 그 이름조차 낯설었다. 아빠 입에서 나온 것을 듣고서야 연선이의 이름을 불러 본 지가 아주 오래되었다는 것을 깨달았다. 연선이를 알아보고도 아빠는 차를 세워 그 애를 부르거나 하지 않았다. 우리는 그대로 나무를 지나쳐 골목으로 들어갔다. 아빠와 내가 탄 차가 연선이와 낯선 남자를 아주 가깝게 지나친 순간, 연선이가 나를 보았다는 생각이 들었다. 착각이겠지. 기분 탓이겠지. 그렇게 생각하면서도 돌아보고 싶었다.

아빠와 내가 마당으로 들어섰을 때 외숙모와 할머니는 이미 점심상을 한가득 차려 놓고 우리를 기다리고 있었다. 늦은 점심을 먹고 감을 깎아 먹고 있는데 할머니가 말했다.

"결혼한다더라."

결혼? 누가요? 나는 눈을 동그랗게 떴다. 이에 짓이겨진 감은 조금 떫었다. 연선이지 누구야, 하고 할머니가 감을 깎으며 대답했다. 그만 깎아 할머니……. 제발……. 할머니를 말리면서 나는 제법 설날에 들을 법한 소식을 들은 것이 어쩐지 신기해 거듭 그 말을 굴려 보았다. 결혼이라니. 그러다가 그만 나도 모르게 입안에서 굴리던 말을 소리 내어 말했다.

"결혼하는구나. 어른이네."

"여기는 벌써 왔다가 갔어. 저기 고모할머니네랑 다 들러 인사하고 간다고."

빈 접시에 깎은 감을 다시 채우며 이번엔 외숙모가 연선이 소식을 거들었다. 인천 어디에서 일을 해서 식도 그곳에서 한다고 했다. 오, 이제 인천에 산대요? 재채기처럼 묻는 나를 향해 할머니가 고개를 끄덕였다. 할머니는 웃으며 가칠가칠한 손바닥으로 내 뺨을 쓸었다.

"연선이 보다가 널 보면 애기 같애. 그저 애기 같애."

"나도 그래, 할머니. 언니라고 부를까 봐."

할머니가 기가 차다는 듯 어이고, 하며 웃었다.

"너는 결혼 안 하냐?"

벼락같은 물음이 들려와 바깥을 보니 이모부였다. 안 그래도 점심 먹으며 아빠가 다들 어디 갔어요? 하고 묻자 할머니를 대신해 외숙모가 대답했다. 먼저 먹었지! 애저녁에 먹고 강아지 데리고 한 바퀴 돌고 온다고 나갔지.

이모부와 나는 현대 문학으로 전공이 같았다. 이모부는 국문학 강사로 마흔 초반까지 청주, 원주, 광주 등 여러 지방 대학에 강의를 나갔는데, 어느 설날엔가 갑자기 하던 모든 강의를 그만두고 목수 일을 시작했다고 말해 나를 놀라게 했다. 뼛속까지 얌전할 것 같은 외모와 나직한 목소리를 지녔는데 예상외로 늘 싱글싱글 웃는 얼굴로 진담도 농담 같은 말투를 구사했다. 오래 해 온 강의를 그만두고 목수 일을 하게 됐다고 말했을 때에도 이모부는 인생에서 밀려난 적 없다는 듯 만족스러운 표정을 짓고 있었다.

해서는 안 될 질문이라는 걸 제일 잘 아는 사람이, 그런 질문을 해 놓고도 만족스러운 듯 웃고 있었다. 그 와중에 한 손으로는 강아지 목줄을 잡고, 나머지 한 손으로는 이모의 손을 꼭 잡고 있었다.

"저 이제 박사 들어가요."

나는 가능성 없음을 알리는 표정을 지으며 대답했다. 이모부는 여전히 싱글싱글 웃으며 탄식했다.

"큰일 났다. 고학력 백수가 되겠구나."

"저도 나중에 목수 시켜 주세요."

"이거 아무나 하는 일 아니다, 너."

나를 놀리는 것 같아서, 나는 대답하지 않고 웃었다. 이모부니까 웃어 주는 거예요, 하는 표정으로 웃었는데 전달이 됐는지는 알 수 없었다. 나는 인터넷 커뮤니티나 SNS를 한 번만 훑으면 심심치 않게 접할 수 있는, 명절에 모였는데 친척

어른들에게 무시와 동정을 한 번에 받았다는 에피소드나 스스로의 처지를 자학하며 놀리는 등의 대학원생 개그를 아주 싫어했다. 그런 건, 바깥에서 보면 아무 의미 없는데 스스로를 귀엽게 여기는 자기 연민과 자기애가 뒤범벅된 포즈라고 생각했다. 그건 대학원생이 처한 구조의 터무니없음이나 구조가 지닌 폭력성을 의식하고 분노하는 일과는 상관없게 느껴졌고, 그리고 무엇보다도 끊임없이 반복되는 레퍼토리가 지지리도 재미없었다. 대학원생 개그를 기피하는 마음을 더 파고들어 가 보면, 어렸을 때부터 품고 자라 온 이상한 쪽의 진지함 같은 것이 있었다. 나는 자조할 여유도 쥐어짤 재미도 없을 만큼 선택한 공부를 좋아했고, 불안했다. 나에게 대학원은 돌이킬 수 없는 선택이었고 그래서 농담할 여유 같은 게 없었다. 내가 한 선택을 내가 놀리는 그런 일을 할 용기도 없었다. 뭐라도 될 거야. 함부로 겁내지도 말고, 진부하고 진부해진 대학원생 자학 개그도 하지 말자. 그것은 대학원에 가겠다는 선택을 할 때 스스로에게 했던 약속이었다.

"그런데 어디 다녀오세요?"

"절에. 묵언 마을 돌고 왔다."

이모부가 이모의 머리에 쌓인 눈을 떨어내며 대답했다. 아, 거기 좋죠. 내가 건성으로 말하자 이모가 아쉽다는 듯 덧붙었다.

"일찍 왔으면 같이 갔을 텐데, 너도 거기 좋아하잖아."

할머니와 외숙모는 아직도 연선이에 대한 이야기를 하고 있었다. 나는 안 듣는 척하며 외숙모의 말에 귀를 기울였다.

"연선이 걔가 갓 회사 들어갔을 때 한번 만났잖아요. 그런데 그때는 앉아서 일만 하는지 어쩌는지 살도 찌고 화장도 안 하고, 아주 푹 퍼졌더라구. 넉살은 또 얼마나 좋은데, 그걸 지두 알어. 신입으로 들어갔는데 선배들이 자기 보고 아주 10년 차 같다고 하더래. 스물셋에 아줌마 다 된 것 같았다니까. 그런데 거기 그만두고부터는 어려서 그런가, 살도 금방 빼데? 그러더니 아주 이뻐졌어. 애기 때부터 예뻤잖아? 애가 원래 몸이 길쭉길쭉했잖아요. 잘 어울려, 둘이! 그 남자애는 뭘 한다더라? 연선이 다니는 그 문화 어쩌구 옆 어디가 직장이랬는데……."

*

나이보다 빨리 크는 여자애들이 있다. 외모도, 태도도. 나는 둘 다 늦는 편이었다. 외모도 애스러웠고 어디에든 적응이 느렸다. 그런 속도 차는 늦는 애들이 더 민감하게 알아차

리기 마련이다. 연선이는 뭐든 먼저 알고 있는 것 같은 애였다. 모두가 처음인 곳에 가도 저 혼자 예전에 한 번은 이곳에 다녀갔던 것처럼 보였다. 아무것도 어려워하지 않는 사람. 삶에서 마주치는 온갖 뜀틀을 겁 없이 넘어 버리는 사람. 내가 가장 부러워하는 유형의 사람. 어떻게 그럴 수 있지. 나는 감탄하며 연선이의 눈길이 닿았던 자리를 뒤늦게, 애타게 훑기 바빴다. 연선이는 나의 외사촌이었다.

어릴 때 춤을 배웠던 연선이는 팔다리가 길었다. 팔다리가 길어서 춤을 배우게 했던 건지, 춤을 배워서 팔다리가 길어진 것인지 선후 관계가 늘 궁금했다. 춤을 배운다는 사실 자체만으로도 나는 입을 딱 벌렸다. 피아노도, 수학도, 영어도 아니고 춤을 배운다니. 어떻게 춤이 배우고 싶었을까? 방과 후에 영어가 배우고 싶은 나와 춤이 배우고 싶은 연선이는 어떻게 다른 걸까 하는 문제를 진지하게, 평생에 가장 진지하게 고민했었다. 열한 살 때였다. 나는 어떤 연선이를 떠올리면 동시에 그때 나의, 우리의 나이가 정확히 떠올랐다. 스무 살 이전까지만. 그 이후로는 나이를 떠올릴 수 없다. 스무 살 이후 내 곁에는 연선이가 없었기 때문에. 오래된 아파트의 복도 쪽으로 난 창이 있는 연선이의 방에서, 연선이는 나에게 그날 배운 춤 동작을 보여 주곤 했다. "가수나 모델이 될 거야." 학교를 마치고 돌아온 오후였고 햇살은 진하고 따뜻했다. 그 말을 하는 연선이의 표정이 자신만만했다.

나의 수많은 처음에 연선이가 있었다. 다리 사이의 갈라진 틈을 문지르면 기분이 좋다는 것도 연선이에게서 배웠다. 연선이는 춤을 추고, 나는 종합장에 그려져 있는 공주와 요정을 따라 그렸다. 그러다가 지루해지면 낮잠을 잤다. 잠에서 깨면 우리는 아직 완전히 달아나지 않은 잠기운을 느끼며 나란히 누워 자위를 했다. 한 번, 두 번, 세네 번도 가뿐했다. 그건 아주 쉬워서 즐거웠다. 그러다 보면 다시 잠이 왔다. 나를 데리러 온 엄마나 간식을 가져다주러 온 외숙모가 방문을 열었을 때 우리는 종종 원피스를 가슴까지 올리고 자고 있었지만, 엄마와 외숙모는 그저 말려 올라간 원피스를 내려 주며 우리를 깨울 뿐이었다. 우리는 한 번도, 아무런 의심도 사지 않았다.

엄마 없이 옷을 고르고 사는 법도 연선이에게 배웠다. 옷을 사러 서울까지 간다는 것도, 거기까지 운전을 해서 데려다주는 엄마가 세상에 존재한다는 것도 연선이 덕분에 알게 되었다. 연선이가 함께 가야 한다고 우겨서 옷을 사러 간 곳은 반포 지하상가였다. 지하상가라는 곳이 어디에나 있을 법한 곳이면 있다는 것을 그때는 몰랐다. 연선이는 내가 고른 거의 모든 옷에 퇴짜를 놨다. "어유, 바보야. 이런 거. 이런 게 예쁜 거라고." 나를 답답해하면서도 자기가 고른 옷을 대 주며 "봐, 예쁘잖아." 하고 온 얼굴로 웃었다.

연선이의 엄마는 백화점 여성복 브랜드 매장에서 일했다. 연선이가 어른 여자의 옷에 관심이 많은 것은 너무나 자연스러운 일이었다. 나의 엄마는 나에게 그런 걸 가르쳐 준 적이 없었다. 엄마는 학습지 방문 선생님이었다. 얇고 팔랑이는 수학, 한자, 국어 학습지가 가득 담긴 가방을 옆 좌석에 싣고 안양과 산본과 과천 일대를 돌았다. 운전석 옆 보조 좌석에 쌓인 학습지 더미는 내가 중학교에 들어갈 때까지 사라지지 않았다. 나의 엄마는 옆 좌석에 딸을 태울 수 없었다.

열세 살 때 반포 지하상가에서 자신의 번호를 따 간 남자애와 만나기로 했다는 것도 연선이는 나에게 털어놓았다. 그 얘기를 하며 연선이는 굳이 "너한테만 말하는 거야." 하고 강조했으나 유달리 나라서가 아니라 그냥 그때였기 때문이라고 생각하고 있다. 가족이 가장 친한 친구가 될 수 있다고 믿던 때. 동갑 외사촌이 가장 가까운 사이라고 믿던 때였기 때문에. 그 남자애를 만나기로 한 날 연선이는 나를 만난다고 하고 반포에 가기 위해 버스를 탔다. 연선이는 버스 안에서 나에게 문자를 보냈다. 야, 우리 같이 있었던 거야. 학원가에서 서점이랑 문구점 좀 들렀다가 배고파서 떡볶이 먹으러. 알았지? 울 엄마가 물어보면 이대로 말해 줘야돼. 나는 영 내키지 않는 마음으로 으응, 하고 답장을 보냈다. 혼자서 서울에 가다니, 연선이보다 내 가슴이 더 크고 빠르게 쿵쾅거렸다. 물론 두려움으로. 나는 겁이 많았으므로. 당부의 문장이 끝나자 바로 자랑이 이어졌다. 중학교 2학년인데 진짜 잘생겼다, 서울 살고, 내 사진을 달라길래 줬더니 바로 만나자는 거야, 반포에서 만나기로 했어……. 그렇게 쉼 없이 날아오던 연선이의 문자는 어느 순간 끊겼다. 오후 내내 나는 안절부절못했고, 다시 연락이 되었을 때 연선이는 엉엉 울었다.

그날 이후 오랜만에 우리 집에 놀러 온 연선이에게 나는 떡볶이를 만들어 주며 그때의 일을 물었다. 국물이 졸아붙은 떡볶이를 두 개씩 포개 찍고서 입안으로 밀어 넣으며 연선이는 아무렇지 않은 말투로 대답했다.

"아 그때? 놀이터에서 만나서 한참 뻘쭘하게 앉아 있다가 노래방에 가자길래 갔더니 그 오빠가 내 가슴 만지고 다리 사이에 손 집어넣었어. 처음에 얼떨떨해서 딱 굳어 있다? 그러다가 정신이 들어서 하지 말라고 밀쳤는데도 계속 허리 끌어안고 지랄하는 거야. 마이크랑 탬버린 집어 던지고 나왔지. 소리 지르면서. 나중에 전화하길래 받아 보니까 미친년

이 어쩌고 하면서 욕을 하는데 재수 없어서 막 눈물이 나는
거야. 그래서 운 거야. 괜찮아. 근데 이거 아무한테도 말하면
안 돼, 알았지? 비밀이야, 알았지?"

중학교에 입학했을 때도 나는 연선이를 보고 유행하는 머
리 모양과 교복 핏과 신발 브랜드를 알았다. 다른 아이들 모
두 그랬을 것이다. 그런 연선이의 이름까지 칭송하던 아이
들이 있었다. 연선이 이름 너무 예쁘지 않니? 하고. 나도 그
랬다. 나는 왜 우연선이 아니라 이효정 같은 흔한 이름을 가
진 건지 엄마 아빠를 원망하고. 이름 앞 두 글자만 부르는 것
이 친밀함의 척도이던 때였다. 연선이와 친한 아이들, 친한
것처럼 보이는 아이들, 친해지고 싶은 아이들이 은밀한 과시
와 간절한 기대를 담아 연선이를 '우연!'이라고 불렀다. 나
를 '이효'라고 부르는 친구는 아무도 없었다. 이름의 앞 두 글
자를 따서 불러도 그렇게 예쁘다니. 축축한 패배감이 들었던
것을 잊지 못한다. 연선이는 또래 사이의 유행과 인기를 누
리기 위해 태어난 아이처럼 보였다.

나는 늘 연선이가 버리고 가는 것들을 주워 들고 내내 살펴
보는 역할을 맡은 것 같다는 생각을 했다. 늘 나보다 빨리 가
는 아이. 나는 조금 느렸고, 연선이는 빨랐다. 보폭의 차이가
누적되면 어마어마한 거리가 생긴다. 우리 둘은 너무 달랐

고, 그래서 언젠가 이렇게 멀어지게 될 것이란 걸 그때는 몰랐다. 아니, 알았나.

중학교를 다니는 내내 연선이를 보고 싶을 때도 보고, 보고 싶지 않을 때도 봤다. 외고, 과고, 민사고, 심지어 자사고라고 부르는 자립형 사립 고등학교에 진학하는 게 유행이던 때였다. 우리는 같은 신도시에 살았는데 나는 학원가 가까이에 살았고 연선이는 역 근처에 살았다. 걸어서 오갈 수 있는 거리는 아니었고, 연선이가 우리 집 근처까지 오려면 버스를 20분은 타야 했다. 그런데도 우리는 함께 학원을 다녔다. 근처의 의왕, 산본, 과천, 수원의 중학교를 다니는 애들도 전부 방과 후 학원가로 모였기 때문에 그게 멀다고도 할 수 없었다. '학원가' 같은 이름을 지닌 곳은 몇 없다는 걸 그때는 몰랐다. 어느 동네에나 그런 게 있는 줄만 알았다. 말 그대로 긴 거리 하나가 통째로 학원이었다. 마주 선 도로 양옆으로 세워진 건물에는 간혹 입점한 분식집, 카페, 휴대 전화 대리점을 제외하고 전부 다 다른 학원이 들어와 있었다. 수십 개의 학원으로 가득 찬 건물 앞에는 수십 대의 학원 버스가 언제나 진을 치고 있었다.

그중에서도 1교시부터 6교시까지, 학교가 끝나면 다시 학교처럼 시작하는 종합 학원이 유행이었다. 종합 학원은 10층

짜리 건물을 2층부터 10층까지 사용했다. 초등학생부터 고
등학생까지 반을 나눠 전 과목을 수업하는 방식이었다. 연선
이도 나도 그 학원에 다녔지만 반이 서로 달랐다. 쉬는 시간
에 3층 매점에서 모카 크림빵을 물고 단어를 외우고 있으면
키가 크고 눈빛과 표정이 다른 아이들이 내 어깨를 치고는,
너 연선이 친척이라며? 이름이 뭐야? 하고 묻고 가는 일이 몇
번이나 있었다. 간혹 내 휴대 전화 번호를 묻고는 제 휴대 전
화에 입력해 가기도 했다. 나에게 올곧게 오는 관심이 아니
라 나를 경유해 연선이에게로 가는 관심과 과시였다는 걸 그
때는 몰랐다. 아니, 알았나.

  학원이 끝나면 연선이와 나란히 서서 버스를 기다렸다. 나
는 버스를 타지 않지만 연선이가 자기 버스가 올 때까지 기
다려 달라고 했기 때문이다. 연선이는 매번 나의 팔에 팔짱
을 끼고 애교를 부리며 조금만, 조금만 더 기다려 달라고 했
고 나는 내 팔에 닿는 연선이 팔의 마르고 길고 서늘한 느낌
이 좋아 매번 그러겠다고 했다. 내 팔에 느슨하게 팔짱을 끼
고 연선이는 주로 다른 애들과 인사를 나눴다. 중학생 중에
서 독보적으로 키가 크고, 목소리가 낮고, 그래서 성인 남자
에 가까운 외양을 지닌 남자애들이 연선이의 머리나 팔이나
허리를 툭툭 치고 지나갔다. 연선이는 활짝 웃으며 죽이겠다

고 소리를 질렀다. 연선이에게 알은척을 하고 시끄럽게 구는 일이 몇 번이나 반복되는 동안 나는 버스를 놓칠까 봐 묵묵히 차도를 바라보았다. 연선이의 팔에 걸린 내 팔이 불편하게 흔들리는 것을 참으며. 그러고 나면 나는 집에 돌아와서 노트를 펴 놓고도 아무것도 적지 않은 채 어른 같은 애들과 투닥이던 연선이의 또렷한 눈매를, 시원스러운 입가를, 쭉 뻗은 팔과 길고 예쁜 손가락을 떠올렸다.

연선이가 싫지만 좋았다. 보기 싫었지만 보고 싶었다. 그게 내 솔직한 마음이었다. 그 애를 좋아했지만 좋아하기가 너무 어려웠다. 연선이와는 늘 단둘이 있고 싶었다. 오후의 볕으로 몸을 덥히며 조금씩 잠들어 갔던 어릴 때처럼. 그러나 연선이와 함께 있으면 방해하는 것투성이였다. 사방에서 쏟아지는 눈빛, 나를 통과해서 곧장 연선이에게 도착하는 정제되지 않은 눈빛들. 그리고 연선이의 머리를, 팔을, 뒷목을, 허리를 쿡쿡 찌르고 치고 쓰다듬고 지나가는 장난으로 포장한 끈끈한 손길들. 나는 그것들을 목격하는 것이 힘들었다. 왜 힘들었는지, 알지만 알고 싶지 않았다. 단순히 유일한 단짝을 다른 친구들과 나눠야 하는 데서 오는 순수하고 담백한 이유는 아니었다. 그렇다고 마냥 질투하고 멀리하기에 연선이는 어딘지 마음이 쓰이는 애였다. 그렇게 어른스럽고 아무

것도 힘들어하지 않는데도 그랬다. 질투와 혐오 사이, 그 어디쯤 내 마음이 있었다.

*

연선이의 엄마, 내가 외숙모라고 부르던 사람은 골격이 크고 이목구비가 컸다. 연선이는 외모도 분위기도 엄마 쪽을 더 빼닮아 있었다. 커 갈수록 더 그랬다. 어딘지 흐릿해 보이는 인상이었던 나는 눈이 크고 콧대가 서 있는 연선이 모녀의 생김새를 부러워하면서도 언제나 외숙모를 조금 무서워했다. 젊었을 때 더 예쁜 외모였을 것 같은 외숙모는 체격이 건장해서, 연선이는 언제나 엄마의 골격을 닮아 자기도 어디가 너무 크고 어디가 둔해 보인다며 투덜거렸다. 외숙모는 연선이가 열일곱 살 때 연선이의 아빠와 이혼했다. 성가시고 번거로운 이혼을 진행하는 시간 동안 연선이는 엄마의 애인과 2주에 한 번 저녁을 먹어야 하는 게 가장 짜증 난다고 했다. 외국 커플처럼 구는 게 제일 짜증 나. 연선이가 자기 엄마에 대해 한 코멘트는 그게 전부였다. 아니다. 하나가 더 있다. 열대여섯 살 무렵에 나는 어쩌다 보니 종종 연선이의 무리에 휩쓸려 카페, 노래방, 공원을 맴돌게 되었는데, 그날은 세 곳중에서도 동네의 어느 공원이었다. 지나다니는 사람이 적었고, 연선이의 친구들은 익숙하게 담배를 피우며 새우깡 같은 과자에 맥주와 소주를 마셨다. 시간이 어느 정도 흘렀는지 알 수 없었는데, 어느새 취한 연선이가 내 어깨에 기대어 말했다.

"엄마 닮아서 남자를 너무 좋아할까 봐 무서워."

남자를 좋아하게 될까 봐 무섭다고 한 건 연선이였지만, 그 말을 듣고 정말로 속이 뜨끔하게 두려웠던 건 나였다. 그 고백은 내가 뱉은 거나 다름없었다. 연선이가 나보다 솔직했을 뿐이었다. 남자의 애정과 관심에 목말랐던 건 나였다. 오히려 연선이는 그 관심과 호감이 너무나 당연하고 풍요로워 끊임없이 연애를 하면서도 진심으로 그것이 필요해 보이지 않았다. 굶주린 쪽과 배부른 쪽의 차이라고 해야 할지, 너무 진지한 쪽과 덜 진지한 쪽의 차이라고 해야 할지 모르겠지만 어쨌든 우리는 그렇게 같으면서 달랐다. 누군가에게 애정을 보내고 받는 일을 배우는 나이에 나의 비교 대상은 언제나, 너무나 연선이였다.

발신 번호 표시 제한이 유행이었다. 학원 수업이 끝나 혼자 가방을 챙기고 있는데 발신 번호 표시 제한으로 전화가 왔다. 중학교 때의 발신 번호 표시 제한은 무서운 일이기보다 왠지 설레고 재미있는 일이었다. 전화를 거는 일이 익숙하지 않은 나이. 누가 나에게 전화를 걸어 준다는 사실에 두근거릴 때였다. 여보세요? 남자애 목소리였다. 목소리가 들리는 곳은 웅웅 울리고 웅성거렸다. 여러 명인 것 같았다. 한참을 킬킬거리던 주위에서 안녕, 하고 장난기 어린 인사를 던지기도 했다. 누구세요? 다시 한번 물었을 때 그 말에 대답도 않고 남자애가 말했다. 니가 이효정이지? 연선이 친척? 맞어? 쉬고 갈라진 남자애 목소리. 나는 침을 꼴깍 삼키고 대답했다. 맞는데. 너 누구야? 내 목소리는 생각보다 떨리게 나왔고 저쪽에서 웃음이 와락 터져 나왔다. 숨을 들이마시는 순간 남자애가 대답했다. 알 거 없는데? 너 왜 반말이야. 그 말을 듣자 귀가 뜨겁게 달아올랐다. 양 뺨에도 열기가 모이는 것이 느껴졌다.

휴대 전화를 쥔 손에 힘이 들어갔다. 심장이 쪼그라드는 느낌이었다. 그게 수치심이었다는 걸 나중에야 알았다. 당황해서 한동안 대답을 못 하자 또다시 저들끼리 떠들기 시작했다. 노랫소리도 간간이 섞여 들었다. 노래방인 것 같기도 했다. 가까스로 숨을 골랐다. 날벼락 같은 통화를 끝내고 싶었다. 뭐 하자는 거야. 용건 없으면 끊는다. 그러자 다급하게 전화를 바꾸는 기척이 들렸다. 야, 야, 야, 야 잠깐만. 할 말 있어.

진짜 있어. 있잖아, 우연선은 예쁜데 넌 왜 그렇게 생겼어? 친척이라며. 그 말을 듣는 순간 나도 모르게 휴대 전화를 닫아 버렸다.

진작 끊을걸. 왜 듣고 있었지. 뭘 기대했던 거지. 뭘 기대했긴. 한밤에 전화가 와서 두근거렸다. 가슴이 쿵쿵거리고 눈물이 고였다. 숨이 막히는 것 같았다. 그렇게 밑도 끝도 없는 공격은 처음이었다. 그 생각을 하자마자 다시 아니라는 생각이 들었다. 처음인가. 아닐 것이다.

중학교를 졸업하기 직전 나는 연선이 무리와 잘 어울리는 남자애들 한 무더기와 같은 반이 된 적이 있다. 그들은 언제나 모르는 애들에게 말을 거는 데 자신감이 넘쳤고 나에게도 그랬다. 학기 초 그 무리 중 한 명과 나는 짝이 되었고, 쉬는 시간마다 그 애를 중심으로 남자애들이 몰렸다. 그 애들은 자기들끼리 교실이 떠나가라 시끄럽게 굴고, 상관없이 지나가는 애들을 놀리며 또 자지러지게 웃고, 그러다가 옆자리에 앉은 나에게도 말을 걸었다. 유구하게 들어 온 인트로였다. 야, 니가 우연선 친척이라며? 오 진짜? 신기하다, 봐 봐. 나는 대화의 소재일 뿐이었고 그렇게 사람을 툭툭 친 뒤 그들의 관심은 다시 연선이와 얽힌 자기들 무리에 대한("존나 웃기지 않았냐 그때?") 이야기로 넘어갔지만, 나는 언제나 긴장했다.

그리고…… 같은 또래의 한 무더기 남자애들이 동시에 나를 쳐다볼 때, 그 무례를 관심으로 생각하고 로맨스를 상상했다. 언제나 그랬다. 날 좋아해 줘, 하는 마음은 포기가 잘 되지 않았다. 그렇게 다가왔지만 나를 좋아해 줄 여지가 있지 않을까, 그런 마음을 품고 살살 그들의 비위를 맞추며 그 질 낮은 장난들을 다 받았다. 그들이 내 머리를 헝클어뜨리면 헝클어뜨리는 대로, 옆구리를 쿡쿡 찌르면 찌르는 대로. 언젠가 교실에 놀러 와 킬킬대던 남자애가 복도에서 마주쳐 어 연선이 친척! 하고 껄렁이며 손을 들어 인사만 해도. 그 남자애들 무리가 나에게 말을 걸면, 교실 안의 다른 아이들도 나를 쳐다봤다. 그런 관심이 좋았다.

그러던 남자애들이 내가 지나갈 때마다 수군거리기 시작한 건 내 옆자리에 앉았던, 그 무리의 대장 격이던 남자애가 어쩐지 나를 싫어하게 되기 시작했을 때부터였다. 서로 얼굴을 익힌 짝의 친구들은 복도를 걷다 나와 마주쳐도 어이 연선이 친척! 하고 부르며 장난을 걸지 않았고 내가 도서관에서 빌린 책을 가리키며 비웃었다. 뭐야, 뭔 책이야? 찐따 아니야? 남자애들 무리는 이제 내 옆자리에 모여들어 놀지 않았다. 교실 뒤편으로 가 큰 소리로 말했다. 된장 냄새. 쟤 발에서 된장 냄새 나. 마지막 시비는 조용하고 강했다. 짝이던 남자애는 시종일관 내가 마음에 들지 않는다는 표정을 짓다가 말했다. 야, 우연선이랑 친한 척하지 마. 그럼 뭐라도 되는 줄 아냐? 그 어이없는 공격에도 나는 그저 조용히 엎드렸다.

그동안 줄곧 이런 태도였는데 왜 알아채지 못했지. 눈치 없는 내가 바보였다. 그걸 몰랐다니 내가 어리석었다. 그런 생각이 초를 다투어 머릿속으로 밀려들었다. 차가운 심정으로 돌아본 나는 우스꽝스러웠다. 남들에게 우스꽝스럽게 보이는 것. 그건 그때나 지금이나 내가 가장 끔찍해하는 일이었다. 그런 종류의 감정을 두려워하게 된 것, 그리고 그걸 두려워한다는 걸 내가 알게 된 것 모두 그때 이후라고 기억하고 있다. 수치심은 그렇게 강렬히 남았다. 나는 생을 통틀어 가장 두렵고 힘들었던 순간을 중학생 시절로 기억하고 있다. 또래들을 가장 무서워했다. 제발 졸업하고 흩어지고 싶다, 이 좁은 바닥에서 벗어나 조금이라도 멀리. 모르는 사람들과 지내고 싶다, 하는 생각은 중학교 때 굳어졌을 것이다.

내가 그 시기를 어떤 다른 친구들에게 기대어 건너왔는지, 잘 기억이 나지 않는다. 교실에서 음악실로 이동 수업을 하기 위해 혼자 계단을 내려가던 나를 잡고 너에겐 아무런 냄새가 나지 않는다고 말해 준 친구도 있었으나 나는 그 친구의 이름을 기억하지 못한다. 물론 얼굴도. 내게 중요한 건 언제나 내게 상처를 주는 쪽에 선 이들의 얼굴과 이름이었다. 나는 연선이처럼 되고 싶었고 연선이에게 호감과 관심을 노골적으로 보내는 그 남자애들의 시선을 받고 싶었다. 벌써 10년도 더 지나, 그런 게 다 뭐가 그렇게 중요하냐고, 그땐 중요한 걸 하나도 몰랐다고 웃으며 얘기해도 그때 그런 것은 그런 것. 내가 했던 생각과 내가 느꼈던 수치심 같은 걸 지울 순 없다. 다른 걸로 가릴 수도 없다.

그리고 그들이 무례하다는 것을 생각할 새도 없이 치가 떨리는 마음은 연선이에게 돌아갔다. 연선이가 밉고 꼴 보기 싫고 원망스러웠다. 그만 좀 엮였으면 좋겠다고 생각했다. 내가 친척이고 싶어서 친척이냐고, 도대체 우연선이랑 나랑 무슨 상관이냐고. 그러나 나는 그 울분, 혐오감, 자격지심을 연선이를 포함한 누구에게도 이야기하지 못했다.

그 이후로 나는 연선이와 연선이의 친구들을 만나지 않았다. 연선이가 보내오는 문자와 전화를 피했고 차츰 그들 무리가 가는 곳에서 슬쩍 빠졌다. 학원과 독서실을 옮겼다. 고등학교에 들어가도 제발 그 애들과 마주치지 않기를, 하고 매일 밤 기도했다. 내가 마주치기를 피하자 연선이는 울었다. 효정아 왜 그래, 내가 뭐 잘못했어? 내가 또 싸가지 없게 말했어? 하며 아이처럼 울었는데 그때마저 예뻤다. 아니야, 그냥,

시험공부 때문에 바빠서. 그렇게 눙친 뒤 연선이를 달랬다. 얼마나 열심히 울었는지 교복 등이 땀으로 다 젖어 있었다. 팔이 저리도록 등을 토닥여 주자 연선이는 다시 의심 하나 없는 얼굴로 돌아갔다. 내일 봐! 주말에 애들이랑 같이 노래방 가는 거다! 나는 입을 다물고 고개를 끄덕였다.

그 주말에 내가 정말 연선이와 연선이의 친구들과 함께 다시 어두컴컴한 노래방에 앉아 있었는지, 그 기억은 선명하지 않다. 하지만 상관은 없다. 그때 거기에 갔더라도, 가지 않았더라도 우리의 관계는 결국 지금과 같았을 테니까.

*

연선이는 고등학교 입학을 앞두고 분당으로 이사를 했고, 분당의 고등학교에 들어갔다. 대입을 위해 미술을 시작했다는 소식도 들었다. 그때 나에게는 더 이상 연선이와 겹치는 친구 무리는 남아 있지 않았다. 나는 그렇게 바라던 대로 다시 연선이와 둘만 만날 수 있게 되었다. 그러나 바라던 때가 너무 늦게 왔다는 것, 다시 오지 않는 게 차라리 더 나았을 뻔했다는 것을 깨닫는 데에는 그리 오랜 시간이 걸리지 않았다.

열일곱 살 이후 연선이와는 더 빠르게 멀어졌다. 그전까지가 등차수열이라면 그 이후는 등비수열 같았다. 거리감이 커지고, 커진 거리감을 다시 곱한 만큼 멀어져 갔다. 그렇게 된 데에는 멀어진 거리의 문제도 있었지만 외삼촌과 외숙모의 이혼 이후 연선이가 자신에게나 남들에게나 가장 나쁜 시기를 보낸 것도 한몫을 했다. 고등학교에 갓 입학했을 때만 해도 내가 아는 사람 같던 연선이는, 한 학년 올라가면서 전혀 다른 사람이 되어 있는 듯했다. 더 이상 학원가에서 연선이를 마주치지 않았지만 모든 아이들이 연선이를 알고 있었다. 나는 이미 연선이의 소식을 모르고 있었지만 종종 나에게, 중학교 때 그랬던 것처럼 "너 우연선이랑 친척이라며?" 하고 묻는 아이들이 있었다. 그러나 그 목소리에는 그 이름에 질린 듯한 뉘앙스가 담겨 있었다.

그때, 우리의 열여덟 살에, 하마터면 우리는 아예 마주치지 않고 그 시기를 보낼 수도 있었으나 공교롭게도 2주에 한 번 논술 과외를 함께 받게 되었다. 외삼촌의 재혼 때문이었다. 연선이는 아빠의 재혼을 완강히 반대했고, 외삼촌은 연선이의 의견을 묵살했고, 외삼촌의 재혼 이후로 연선이는 전에 없이 감정적이고 폭발하는 모습을 보였다. 외삼촌은 그런 연선이가 걱정되었고 연선이가 어울리는 친구들이 걱정되었으므로 나와 함께 두는 방법을 생각해 냈다.

우연한 작별

193

그때 연선이의 모습은 한마디로 분열한다고밖에 표현이 되지 않았다. 논술 과외에서 연선이는 늘 불성실하고 무례했다. 지각이나 결석은 말할 것도 없고, 간혹 제때 와서 수업을 듣는 날이면 앉은뱅이 테이블에 앉아 다리가 저리다는 이유로 짧은 교복 치마를 입은 다리를 아무렇게나 폈다. 선생님은 항상 연선이 쪽을 잘 쳐다보지 못했다. 연선이는 대부분 테이블에 엎드린 자세로 긴 팔을 뻗어 선생님의 팔뚝을 잡고 흔들며 "샘, 졸려요. 배고파요. 바나나우유 사 주세요." 따위의 말을 던졌다. 심심하면 튀어나오는 저 문장에서 '바나나우유'만 초콜릿, 떡볶이, 도넛 따위로 바뀌는 식이었다. 나는 연선이와 마주 앉아 있었고, 연선이가 휴대 전화 너머의 친구들과 문자를 주고받을 때마다 끊임없이 선생님의 표정을 힐긋거리며, 선생님을 가지고 농담을 한다는 걸 알고 있었다. 과외가 없는 날이면 선생님을 가지고 하는 농담 문자가 곧바로 선생님에게 향한다는 것도. 열여덟의 여름에 연선이는 이미 논술 선생님과 사귀고 있었다.

우리를 가르친 건 고작 스물다섯, 국문학을 전공하는 대학교 4학년생이었다. 이신우. 내가 과외 선생님의 그 흔한 이름을 기억하는 이유는 뻔하다. 그를 좋아했으므로. 논술 과외를 시작한 지 얼마 되지 않아 내가 쓴 논술 답안지를 찬찬히 들여다보던 이신우는 웃으며 말했다. "너는 기본적으로 글 쓰는 걸 좀 좋아하는구나." 그 별거 없는 코멘트가 좋았다. 내가 쓴 글과 나를 번갈아 쳐다보며 웃는 모습이 좋았다. 그랬던 사람이 대뜸 연선이와 사귀다니, 그러지 말란 법은 없지만 나는 갖은 감정이 뒤섞인 패배감을 느꼈다.

하지만 그 일에 대해 연선이에게 단 한마디도 하지 못했다. 내가 좋아하는 선생님과 사귀는 게 질투가 나고, 그러는 동시에 불안한 감정을 여기저기 폭발시키는 연선이의 모습이 걱정이 되었지만 그렇다고 거기에 딱히 보탤 말이 없었다. 그리고 그 할 말 없음은 10대 시절 내내 학습된 것이라는 걸 알고 있었다. 그렇게 불안하고 영악한 존재가 연선이가 아니었다면, 나는 아마 어떤 말이라도 걸었을지도 모른다. 되지 않는 충고라도. 유치하지만 진심 어린 조언이라도. 하지만 나는 아무 말도 할 수 없었다. 그게 내가 연선이와 함께 보낸 시간 내내 배운 어떤 눈치, 혹은 처세, 리액션이었고 그것은 곧 나의 성격이 되었다.

나의 성격은 곧 연선이의 반작용이라고 해도 틀리지 않았다. 늘 모두의 주목을 한 몸에 받는 연선이와 함께한 덕분에 주목받는 아이들의 신뢰를 얻는 방식을 알아 버린 것이다. 분위기에서 엇나가지 않으려고, 엇나가서 우스꽝스러워지지 않으려고 늘 그들의 기분을 살폈다. 포인트는 내가 기분을 살피는 것을 그 애들에게 들키지 않는 것이었다. 동등한 척 동등하지 않는 것.

연선이를 마지막으로 보게 된 것 역시 과외 시간이었다. 그날따라 연선이는 기분이 좋았는지 나에게 자꾸 말을 걸었다. "야, 넌 남친 없냐? 잘되어 가는 애 있어?" 그 말은 악의적이었다. 그즈음 이미 연선이는 논술 선생 이신우와 사귄 지 50일이 지나 있었다. 내가 서투른 탓에, 연선이가 능숙한 탓에 연선이는 예전부터 내가 논술 선생님을 좋아한다는 사실을 알고 있었다. 그것만으로도 나는 이미 연선이에게 약점을 잡힌 것 같았다. 이렇게까지 나를 함부로 대한 적은 없었다. 나는 내가 이토록 순수하게 연선이에게 기분이 나쁠 수 있다는 걸 깨달았다. 그동안 아무리 연선이가 자기중심적으로 생각하고 말해도 들지 않던 기분이었다. 들었지만 애써 지웠던 기분일지도 몰랐다. 이제는 그만하고 싶었다. 하지만 단번에 정색한 표정으로 말할 순 없었다. 논술 지문을 요약하는 데 간신히 집중하며 나는 조그맣게 말했다.

"하지 마."

연선이는 재미있다는 듯 계속 물었다.

"뭘 하지 마. 누군데, 아 누구냐고."

늘 그렇듯 눈치를 잘 보고 적당한 리액션으로 넘어가려 했
지만 이마 위쪽으로 시선이 느껴졌다. 논술이, 이신우가 나
를 보고 있었다. 나는 앞선 것보다 조금 큰 목소리로, 빨개진
얼굴로 말했다.

"하지 좀 말라고."

연선이는 개의치 않았다.

"아 뭐 이런 걸로 삐지고 지랄이야, 미친년아."

그렇게 말하고 킬킬 웃는 연선이의 모습이 부끄러웠다. 내
가 아닌 다른 사람의 모습을 보고 수치심을 느낀 건 처음이
었다.

"하지 마."

"미친아, 뭘?"

"나한테 그렇게 말하지 말라고."

나는 일어서서 방을 나왔다. 과외를 그만뒀고 그날 저녁
엄마와 외삼촌이 통화하는 걸 알아채고 귀를 틀어막았다. 그
이후로 연선이를 본 적이 없다. 유년기부터 10대 시절까지,
인생의 거의 대부분을 함께해 온 친구와 헤어지는 일은 그렇
게 쉬웠다.

명절에 외갓집에 들르면 간혹, 그의 생에서 중요한 순간들
을 전해 들을 수는 있었다. 이를테면 스무 살의 설에는 연선

이가 어느 전문 대학에 입학했다더라는 이야기를, 졸업은커녕 휴학을 하고도 갈피를 잡지 못해 도서관에만 처박혀 있던 스물세 살의 추석에는 연선이가 벌써 졸업을 하고 무슨 회사 관리부에 들어갔다더라는 이야기를 들었다. 그리고 이제 겨우 박사 진학을 마음먹은 스물일곱 살 설에는 연선이가 결혼을 한다더라는 이야기가 들려오는 식이었다.

*

방에 들어가서 쉬려고 문을 열었는데 이모부가 이모의 배를 찜질하고 있었다. 미안하다고 말하고 돌아 나가려는데 이모의 천진한 목소리가 들려왔다.

"그냥 앉아. 뭐 어때."

몇 년 전 설에 이모는 난소를 제거하는 수술을 했다. 난소암 진단을 받고 난소를 차례차례 절제하며 종양을 떼어 내고도 기나긴 기간 동안 몇 차례의 항암 치료를 받아야 했다. 이제야 재발의 우려를 조금 덜 수 있는 시간, 5년이 흘렀을 뿐이었다. 5년이 흘러도 이모는 겨우 40대 초반이었다. 그리고 투병 중에 어떤 마음의 변화가 있었는지 그 시간의 정확히 한가운데에서, 이모부와 결혼을 했다. 이모의 투병 과정 내내,

그리고 결혼 과정 내내 이모부는 싱글싱글이었다. 결혼 전 인사를 하러 온 이모부에게 할머니가 아픈 애를 어떻게 데려가려고, 하며 눈물을 보였을 때도, 의사가 난소를 떼어 내야 할 것 같은데 자녀가 있으시냐고 물을 때 대답하면서도 그랬다. 아니요, 신혼이고 아이는 없습니다. 다행히 암은 재발하거나 전이되지 않았지만 언제든 경계를 늦출 순 없었다.

문밖에서는 여전히 연선이의 결혼에 대해 이야기하고 있었다. 이야기가 끊기다가도 다시 되돌아가는 모양이었다. 할머니는 주로 듣고 맞장구를 치는 편이었고, 가장 말이 많은 건 외숙모였다. 전문대를 졸업한 연선이가 졸업하자마자 독립을 했기 때문에 당신도 아주 드물게 만나 왔음에도 연선이의 소식을 거의 다 따라잡고 있었다.

"아야, 생각났네. 그 남자가 트레이닝, 트레이닝을 한다더라고. 그 왜 있잖아요. 요즘은 운동하러 가면 한 명이 붙어서 내내 가르쳐 주고 살을 빼 주고 한다니까. 그게 직업이에요. 작년 언제부터, 연선이가 운동 다니다가 만났다던데."

갑자기 외숙모의 목소리가 낮아졌고 이야기가 잘 들리지 않았다. 나는 이모를 돌아봤다. 배를 찜질하던 이모는 어느새 돌아누웠고 이모부는 이제 이모의 허리와 등을 정성 들여 눌러 주고 있었다. 나와 눈이 마주친 이모가 씩 웃으며 말을 건넸다.

"넌 결혼 안 해?"

"응. 안 해."

"왜?"

그렇게 묻는 이모가 아이 같았다. 이모의 목소리는 중성적이었다. 여자아이라기보다는 남자아이 같은 데가 있었다. 장난스럽고 악의가 한 점도 없었다.

"결혼하면 연애 못 하잖아. 난 남자를 너무 좋아해서 안 돼. 나는 계속 연애하면서, 계속 헤어지면서 살 거야."

내 것을 지키며 살 거야, 한 줌이지만. 그 말을 덧붙일 뻔했다는 생각에 등줄기가 저릿했다. 농담 같은 질문에 왜 이렇게 결연해져야 하는지 모를 일이었다. 늘 필요 이상으로 진지한 내가 이제는 우스워서 흥얼거리듯 혼잣말을 했다. 역시 남자를 너무 좋아하는 건 나야. 언제나 연선이를 못 따라잡는 것도. 연선이와 완전히 헤어진 이후, 나는 연선이와 비슷해 보이는 아이들을 멸시하는 데 많은 기운을 써야 했다. 나를 비웃는 사람들과 절대 다시 친구가 되지 않겠다고 생각했다. 다름에도 아랑곳하지 않고 친구가 될 수 있었던 때는 열한 살의 어느 때가 마지막이었다. 연선이와 한없이 비슷해지고 싶었던 때가 있었다. 진지하게, 남는 것 없이 포개지고 싶

었던. 그러나 나는 이제 그런 것들과 전부 무관해져서 농담
을 할 수 있게 되었고, 연선이를 부러워하지 않는 사람이 되
었다.

*

이모가 배를 찜질했던 온수 팩을 장난스레 내 배 위에 올려
주어서, 그걸 올리고 있다가 나도 모르게 깜빡 잠이 든 모양
이었다. 이모와 나란히 누워 자고 있다가 차가 들어오는 소
리에 잠이 깼다. 내다보니 놀랍게도 연선이였다. 결혼한다는
남자는 운전석에 있었다. 연선이만 작별 인사를 하러 잠시
내린 모양이었다.

"벌써 다 돌았어?"

"네, 다 했어요. 설이라 그런지 다들 댁에 계시데."

"아, 그럼 어여 가라. 이제부터 막힌다."

"네."

"효정이랑 인사했어?"

외숙모의 말에 방 안을 건너다보던 연선이와 눈이 마주쳤
다. 나는 어색해하며 누구 것인지도 모르는 슬리퍼를 주워
신고 마당으로 나갔다. 눈이 쌓인 마당에 슬리퍼만 신고 서

있자니 발끝이 시렸다. 난데없이 웃음이 났다. 연선이의 얼굴은 외숙모가 얘기해 줬던 것처럼 달라져 있었다. 더 예쁜 쪽으로. 이목구비가 선명하고 키가 큰 데다 자세가 꼿꼿해 항공사 승무원 같았다. 길에서 지나가다 만났다면 못 알아봤을 터였다.

마주 보고 웃으면서도 어색함을 감추지 못하는 나와 달리 연선이의 얼굴에는 어색함이라곤 한 점도 찾아볼 수 없었다. 여유가 있었고 비즈니스적 상냥함이 보였다. 왜 선배들이 그렇게 말했는지 알겠다. 너 일 진짜 잘하는구나. 연선이와 조금만 허물없었더라면 그렇게 말해 줬을지도 몰랐다. 여전하구나, 아무것도 낯설어 하지 않는 것. 결혼을 한다는 소식을 들었을 때도 그 생각부터 났더랬다. 그렇게 생각하고 다시 보자 조금, 내가 알던 연선이의 얼굴이 보이는 듯했다. 연선이는 나에게 선뜻 먼저 손을 내밀었다. 나는 엉겁결에 그 손을 잡았다. 우리는 손을 잡은 채로 이야기를 나누었다. 주도하는 쪽은 물론 연선이였다.

"오랜만이다."

"그러게."

"잘 지냈어?"

"응. 잘 지냈지."

연선이는 청첩장을 건네려는 듯 핸드백을 뒤졌다. 마당
에 서서 어정쩡하게 그러고 있는 우리 사이로 할머니가 끼어
들었다. 백을 뒤지는 연선이의 손목을 잡고 잠깐만, 잠깐만
했다.

"할머니 왜? 나 이제 가야 돼."

"잠깐만 기다렸다 가. 저거 콩 가지고 가. 두 시간은 걸릴
줄 알고 안 싸 놓고 있었잖어."

"아이 무슨 콩이야, 됐어."

"가져가, 내가 쌀게. 효정이랑 한 바퀴만 돌고 와."

"……."

"돌고 와, 다 싸 놓을게!"

할머니는 연선이와 나의 등을 밀었다. 그 바람에 서 있던
거리가 좁아져 우리는 거의 어깨를 부딪힐 뻔했다. 연선이의
어깨는 언제나 나보다 높았다. 어깨 대신 눈을 마주친 우리
는 대문을 나섰다. 조금만 걸어 내려가면 외갓집에 들어오며
봤던 나무가 나오고, 그 옆으로 아주 작고 아주 오래된 공터
가 나올 것이었다. 공터에는 정자도 있고 작지만 미끄럼틀과
시소와 그네도 있었는데, 아이들이 없는 시골 마을인지라 미
끄럼틀 밑이고 그네 옆이고 할 것 없이 억세고 긴 풀이 자라
있었다. 그나마 정자에는 할 일 없는 노인들이 이유 없이 모

여 앉아 있곤 했다. 우리는 공터에 다다라서 정자에 앉을까, 그네에 앉을까 잠시 고민하다가 나란히 그네에 앉았다. 그넷줄에 녹이 심하게 슬어 있어 무심코 잡지 않기 위해 노력해야 했다.

"쌍꺼풀 생겼네."

연선이가 먼저 말을 걸어왔다.

"어, 이거 수술한 거야."

나는 어색하게 웃으며 대답했다. 네가 부러워서 스무 살 지나자마자, 라고는 다행히 말하지 않았다. 나이를 먹어서 좋은 점은 해야 할 말과 안 해도 될 말을 점점 가리게 된다는 점이었다.

"귀여웠는데 너. 쌍꺼풀 없었을 때도."

나는 대답 않고 웃었다. 그렇게 시원하게 트인 눈으로 그런 말 하지 마, 하고 농담할 수 없었다. 연선이와 나는 서로를 꽤 좋아했었지만, 언제고 시원하게 농담을 할 수 있는 사이였던 적은 없었다는 게 실감 났다. 오래 잊고 있던 느낌이었다.

"코는 생각 없어?"

연선이가 그렇게 말하며 웃었을 때 농담을 할 수 없었던 건 나뿐이었다는 것 역시 다시금 떠올랐다. 그래 너는 아니었지. 너에겐 그다지 상관이 없었어. 나는 웃지 않았다. 연선이

를 좋아했지만 항상 상처받는 것 같던 느낌, 열일곱으로 돌아
간 것 같은 느낌이었다. 우리는 무수하게 변하고도 아무것도
변하지 않은 것 같았다. 내가 발끝으로 그네를 밀기 시작하
자 연선이가 덧붙였다.

"농담이야. 요즘은 뭐 하고 지내?"

"아직도 학교 다녀. 박사까지 다니려고."

"너 대단하다. 그러고 보면 어릴 때부터 그랬어. 책 읽는
거 좋아하고. 전단지 뒷면에 뭐 쓰는 거 좋아하고."

"나 제대로 할 줄 아는 거 하나도 없어."

그러자 갑자기 연선이가 내 팔을 때리며 웃기 시작했다.

"맞아, 너 똑똑하다고 생각하면 한 번씩 웃었어. 예전에 여
기 화장실 공사하기 전에, 구식일 때, 화장실 못 가겠다고 울
었잖아 너. 나한테 같이 가 달라고 하면서. 그리고 언제였더
라. 우리 집에 제사 지내러 왔을 때도 심부름 나갔다가 귀신
나올 것 같다고 무섭다고 울면서 나 졸졸 따라오고."

연선이는 거의 자지러져라 웃고 있었다. 나는 그네에서 떨
어질 것처럼 웃는 연선이를 가만히 보고 있었다. 웃음소리
가 잦아들 때까지. 그 애가 너무 웃다, 아유, 옛날이다, 중얼
거리며 웃느라 아린 두 볼을 매만질 때까지. 그러다가 고개
를 돌려 마을 입구의 느티나무를 구경하고 있는데 시선이 느

껴졌다. 연선이는 내 머리끝부터 발끝까지 천천히 보고 있었다. 그 시선만으로도 작아지는 느낌이었다. 이번엔 또 뭘 잡아내려나. 연선이의 시선으로 나를 보면 어쩐지 그런 것만 보일 것 같았다. 어색하고 어설픈 것들. 주기적으로 미용실에 가지 않는 머리, 비비 크림과 립스틱 외엔 발전이 없는 화장, 대충 입은 옷. 나는 고개를 숙이고 괜히 셔츠 밑단에 빠져나온 실밥을 만지작거렸다.

"야, 근데 나 너 좋아했어."

그 말에 고개를 들어 쳐다본 연선이는 지금 나란히 그네에 앉은 내가 아니라 어느 먼 곳을 보고 있는 것 같았다. 논이든 축사든 더 먼 풍경을.

"평소엔 네가 언니 같았어. 그렇게 진지한 애가 어느 순간엔 꼭 여동생같이 구는 게 좋았어."

나는 말없이 연선이의 머리끝부터 발끝까지 천천히 봤다. 드라이 잘된 머리, 눈썹도 섀도도 립스틱도 완벽한 화장, 오래 차를 탔을 텐데도 매무새며 톤이며 흠잡을 데 없는 블라우스와 H라인 스커트, 그리고 자갈과 잡초가 널린 시골길을 걸어도 말짱한 힐을.

"넌 더 예뻐졌다, 야."

내 말에 녹슨 그넷줄을 쥐고 연선이가 아이처럼 웃었다.

멀리서 개 짖는 소리가 들리더니 외숙모가 우리를 부르며 다가오는 모습이 보였다. 다 됐다, 준비해라! 그 말에 우리는 엉덩이를 털고 일어났다. 길지 않은 길을 올라가며 시답지 않은 이야기를 몇 마디 더 나눴다. 시댁은 어디야? 신랑은 외동이야? 하는 질문들. 그런 뻔한 질문을 건넬 수 있다니 재밌었다. 그런 것 말고는 물을 수 있는 게 별로 없었다. 그 정도면 됐다고, 이만하면 나눌 얘기는 충분히 나누었다고 생각했다.

대문 앞에 세워진 자동차에는 시동이 걸려 있었다. 운전석에 앉은 연선이의 예비 신랑 얼굴은 가려져 보이지 않았다. 연선이가 마당에 놓인 콩 자루를 들어 트렁크에 실었다. 다시 마당으로 와 할머니, 나 진짜 간다! 하자 할머니가 또 부랴부랴 나와서 연선이의 어깨를 토닥였다. 연선이는 나가기 전 핸드백에서 청첩장을 꺼내 나에게 건넸다.

"이거, 청첩장."

"고마워. 축하해. 꼭 갈게."

10년 만에 잡았던 연선이의 손이 빠져나갔다. 연선이는 높은 굽의 힐을 신었는데도 한 차례도 헛디디지 않고 마당의 정리되지 않은 자갈들을 또박또박 밟으며 순식간에 차로 돌아갔다. 연선이가 사라지는 모습을 보고 있기가 이상해서 청첩장을 들여다봤다. 펄이 무수히 반짝이는 부드러운 종이였다.

고급스러운 서체로 연선이의 이름이 적혀 있었다. 처음 보는 이름처럼 낯설었다. 꼭 간다고 말했지만, 가지 않을 거란 걸 알았다. 의도적으로 피하는 것도 아니고 오히려 아무것도 아니어서. 결혼식은 주말일 테고 바쁜 주중을 보내다 보면 주말에는 집에 틀어박히고 싶을 것이었다. 연선이의 결혼식이라고, 주말을 부자연스럽게 보낼 리는 없다. 축의금은 계좌로 보내면 되지. 외숙모에게 물어봐야겠다. 그러자 이상하게 안도감이 들었다. 이제 남처럼 남이 되었어. 남이라 다행이야. 그래도 축의금 정도는 낼 수 있을 정도로 남이어서 절묘하게 다행이라고 생각했다. 우리는 잠시 닿았다가 흩어졌다. 제대로 인사를 했으니 됐다고, 10년 만에 만나 이 정도면 충분한 재회였다고 생각하며 돌멩이들이 울퉁불퉁한 마당에 조금 더 서 있었다.

작가의 말

사랑과 폭력을 달걀의 흰자와 노른자를 분리하듯 떼어 낼
순 없다고 생각합니다. 오히려 관계는 그 둘을 마구 뒤섞은,
어설픈 스크램블드에그에 가까운 것 같습니다. 사랑과 폭력
이 뒤섞인 곳에서 빚어졌을 우리. 시간이 준 모든 것이 제 안
에 남아 있습니다. 언제나 그 시간을 미워하면서도 고마워하
며 삽니다. 그때의 저는 너무 불행하지는 않았으나 아예 불
행하지 않았다고는 생각하지 않습니다. 늘 어정쩡하게 주눅
들어 있었고 또 누군가를 어정쩡하게 주눅 들게 만들었겠지
요. 여러분의 시간은 어떠신지 궁금합니다. 즐거우셨다면 즐
거웠던 것을 오래 기억하시기를, 괴로웠다면 괴로움을 오래
품지 않으시기를, 작별할 것들과는 잘 작별하시기를 바라는

마음입니다. 서로가 서로를 아무리 이해하려 애써도 그때는 그것이 최선이지 않았을까 하고 생각합니다. 그리고 그것은 그때도 지금도 별로 다르지 않다고, 동시에 별로 다르지 않아도 변하는 것이 있다고도 생각합니다. 시간이 빚어 놓은 우리는 조금씩 변하고, 저는 변한 저의 모양이 마음에 듭니다. 여러분의 모양도 궁금합니다.

A 군의 인생 대미지 보고서

초판 1쇄 발행 2022년 6월 24일
초판 2쇄 발행 2023년 12월 7일

지은이 · 강석희, 김멜라, 김화진, 박서련, 박영란, 서장원, 신운선
펴낸이 · 김종곤
편집 · 김은주, 김필균
조판 · 이보옥
펴낸곳 · (주)창비교육
등록 · 2014년 6월 20일 제2014-000183호
주소 · 04004 서울특별시 마포구 월드컵로12길 7
전화 · 1833-7247
팩스 · 영업 070-4838-4938 | 편집 02-6949-0953
홈페이지 · www.changbiedu.com
전자우편 · contents@changbi.com

ⓒ 강석희, 김멜라, 김화진, 박서련, 박영란, 서장원, 신운선 2022
ISBN 979-11-6570-134-5 43810

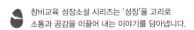

창비교육 성장소설 시리즈는 '성장'을 고리로
소통과 공감을 이끌어 내는 이야기를 담아냅니다.